Ceffylau'r Cymylau

Jerry Hunter

Lluniau
Jane Griffiths-Jones

Gomer

I Megan a Luned,
gyda diolch am ofyn i mi sgwennu'r stori hon.

Cyhoeddwyd gyntaf yn 2010 gan
Wasg Gomer, Llandysul, Ceredigion, SA44 4JL.
www.gomer.co.uk

ISBN 978 1 84851 161 3

ⓗ y testun: Jerry Hunter, 2010 ©
ⓗ y lluniau: Jane Griffiths-Jones, 2010 ©

Noddwyd gan Lywodraeth Cynulliad Cymru.

Argraffwyd a rhwymwyd yng Nghymru gan
Wasg Gomer, Llandysul, Ceredigion.

CEFFYLAU'R CYMYLAU

1

Unwaith y flwyddyn, a dim ond unwaith y flwyddyn, daw'r ceffylau i lawr i'r ddaear.

Rhywle yng Ngogledd Cymru mae yna fynydd sy'n amneidio ar yr awyr, ac ar ddiwrnod arbennig – pan fydd y cymylau pluog yn ymffurfio'n dorch o gwmpas copa'r mynydd arbennig hwn – daw'r Bont Wen i lawr o'r cymylau i'r ddaear. Ar ôl i'r bont gydio yng nghraig y mynydd, daw'r ceffylau i lawr drosti. Maen nhw'n carlamu'n wyllt i lawr dros y Bont, eu myngau a'u cynffonnau'n cyhwfan fel baneri yng ngafael gwynt y mynydd, a mwng a chynffon pob ceffyl mor wyn â'i gartref yn yr awyr. Unwaith y flwyddyn, a dim ond unwaith y flwyddyn, daw ceffylau'r cymylau i lawr i'r ddaear. Does neb yn gwybod pryd yn union mae'n digwydd. Does neb yn gwybod ble yn union, chwaith. Neb ond un . . .

* * *

'Ga i ddod efo chi heddiw, Nain?'

Dyna fyddai cwestiwn Rhian bob dydd Sadwrn yn ystod yr haf. Hynny yw, pob dydd Sadwrn heulog, braf, pan fyddai'r haul yn dangos ei wyneb ac yn cynhesu'r mynyddoedd a'r dyffrynnoedd o gwmpas eu cartref. Roedd Rhian yn byw gyda'i rhieni a'i dwy chwaer fach ryw hanner milltir o'r pentref. Hoffai ddweud ei bod hi'n byw 'ar fferm', ond 'tyddyn' fyddai ei thad yn galw'u cartref. Hen dŷ wedi'i adeiladu o gerrig y mynydd oedd o, gydag ychydig o gaeau o'i gwmpas. Nid ffermio oeddan nhw go iawn, er bod Rhian yn hoffi meddwl mai ffermio oedd bwydo'r ieir a'r gwyddau a rhoi mwythau ac ambell foronen i Lisabeth, y ferlen. Roedd Lisabeth yn byw yn y cae cefn, a Nain yn byw mewn bwthyn bach yr ochr draw i'r cae hwnnw.

A'r bore Sadwrn braf hwn, rhedodd Rhian ar draws y cae heb oedi i ddisgwyl am Lisabeth. Dim ond wrth iddi ddringo'r gamfa i groesi'r clawdd y trodd i gyfarch Lisabeth, a'r ferlen wedi carlamu'n wyllt o ben pella'r cae i'w dal hi. Merlen lliw hufen oedd hi, a chwifiai ei mwng hufennog yn y gwynt wrth iddi redeg at y gamfa.

'Mae'n ddrwg gen i, yr hen hogan,' meddai Rhian wrth estyn llaw i gyffwrdd â chroen cynnes, gwlyb y ferlen. Byddai'n siarad ag anifeiliaid yn yr un ffordd yn union â'i thad, ac felly 'hen hogan' oedd Lisabeth, yn enwedig ar yr adegau hynny pan fyddai ei phocedi'n wag. Gwthiodd y ferlen ei thrwyn heibio i law Rhian a bygwth ei gwthio oddi ar y gamfa.

'Mae'n ddrwg gen i, yr hen hogan,' meddai Rhian eto, gan ddechrau dringo i lawr ochr arall y gamfa a gadael y ferlen yng nghanol ei siom ar yr ochr arall. 'Does gen i ddim moron heddiw, a dw i ar frys. Mae'n gaddo bod yn ddiwrnod braf iawn, ac mae Nain yn sicr o'i throi hi am y mynyddoedd yn o fuan.'

Aeth o'r gamfa at ddrws y bwthyn gan hanner neidio, hanner rhedeg; dim ond 20 cam oedd o. Roedd wedi'u cyfrif lawer gwaith: 30 cam pan fyddai'n cerdded, 20 cam pan fyddai'n hanner neidio, hanner rhedeg. Gallai ymbwyllo a hopian neidio, fel y byddai weithiau wrth gystadlu â'i ffrindiau ar iard yr ysgol, a thrwy hynny gyrraedd y drws mewn llai nag 20 cam. Ond 20 cam oedd hi heddiw, yn hanner neidio, hanner rhedeg ar hyd y llwybr gyda cherrig mân yn crensian o dan ei thraed, heibio i'r blodau a dyfai'n enfys o liw ar bob ochr iddi, ac i mewn drwy'r drws gan weiddi'n siriol: 'Bore da! Ga i ddod efo chi heddiw, Nain?'

Eisteddai Nain yn ei hoff gadair freichiau yn y parlwr; roedd wrthi'n gorffen clymu careiau'i hesgidiau, a'i thraed wedi'u gosod ar stôl fechan o'i blaen.

'Alla i'ch helpu chi efo hynna, Nain?'

'Dim diolch, Rhian fach. Dydi fy saith deg pump o flynyddoedd ddim yn fy rhwystro i rhag clymu fy sgidiau fy hun. Wel, ddim eto.'

'Ond dydi fy naw o flynyddoedd i ddim yn fy rhwystro i rhag eich helpu chi chwaith.'

Gwyddai Rhian yn iawn fod cefn Nain yn brifo pan blygai i godi rhywbeth oddi ar y llawr, neu i glymu'i hesgidiau, neu i chwynnu yn yr ardd. Ond gwrthodai help bob tro.

Gwthiodd Nain y stôl o'r neilltu. 'Diolch, 'mechan i,' meddai, 'ond dw i wedi'i wneud o beth bynnag.'

Cododd yn araf o'i chadair gan wenu'n siriol, a'i breichiau ar led.

'A fydd fy saith deg pump o flynyddoedd ddim yn ein cadw ni rhag mynd am dro i'r mynyddoedd heddiw, chwaith!'

A chyn i'r geiriau orffen dod o'i cheg roedd Rhian wedi rhuthro i'w chôl. Caeodd breichiau Nain o'i chwmpas a'i gwasgu'n dynn. Byddai Rhian yn poeni'n arw bob tro y meddyliai am ddolur cefn Nain, ond diflannodd y pryder hwnnw wrth iddi deimlo'r breichiau cryf yn ei gwasgu. Roedd yna gryfder anghyffredin yn y breichiau hynny, cryfder oedd yn gwneud i Rhian deimlo'n hyderus fod yna lawer o flynyddoedd o fywyd ar ôl ynddyn nhw.

Cyn pen dim roedd Nain wedi gwisgo'i chôt ac roedd y ddwy'n camu dros riniog y bwthyn.

'Pam na fyddwch chi byth yn cloi'r drws, Nain?'

'I be? Does gen i ddim llawer sy'n werth ei ddwyn, a does 'na neb yma fyddai'n gwneud y ffasiwn beth.' Chwinciodd yn slei ar Rhian wrth ychwanegu, 'Beth bynnag, mi wyddost ti'n iawn fod y tylwyth teg yn gwarchod y tŷ 'ma.'

Cerddodd y ddwy law yn llaw ar hyd y llwybr a arweiniai at y lôn, â'r cerrig mân yn crensian o dan eu traed. Pwysodd Nain ar y giât am funud cyn ei hagor gan godi'i llygaid tua'r mynyddoedd.

'Ew, sbia! Am ddiwrnod braf! Dim ond un cwmwl bychan yn hwylio rhwng y copaon. Sbia arno fo: mae o fel llong wen bluog yn hwylio rhwng y creigiau. Be wyt ti'n ei feddwl? Fydd y llong yn hwylio heibio iddyn nhw'n ddiogel?' Edrychodd eto ar ei hwyres, 'Neu a fydd hi'n mynd yn sownd ar un o'r creigiau? Tyrd i weld!' A chyda hynny, agorodd Nain y giât a chamu i'r lôn.

2

Roedd hi'n gynnes ar y llethrau, er gwaetha'r gwynt cryf a chwythai bob hyn a hyn i chwarae â'r grug oedd yn tyfu'n drwch ar bob ochr i'r llwybr. Tywynnai'r haul a dawnsiai'r blodau bach piws yn llawen yn y gwres. A hwythau wedi hen adael y lôn erbyn hyn, roedd y ddwy'n dilyn hen lwybr defaid, yn dringo'r llethrau'n uwch ac yn uwch, yn ymdroelli'n igam-ogam drwy fôr o rug.

Roedd y cwmwl bach unig wedi symud o'u golwg i ochr arall y copaon, ac felly dim ond awyr las a welai Rhian. Glas yr awyr uwch ben, a'r grug yn ymestyn yn fôr o wyrdd a phiws ar bob ochr, gydag ambell graig yn ymddangos fel ynys lwyd fechan yng nghanol y môr hwnnw.

Safodd Nain yn ei hunfan gan gau'i llygaid a chodi'i hwyneb tua'r haul.

'Wyt ti'n teimlo hynna?'

Edrychodd Rhian yn syn o'i chwmpas gan hanner gobeithio gweld beth bynnag roedd Nain yn ei deimlo.

'Be, Nain? Teimlo be?'

'Lleithder y ddaear yn codi yng ngwres yr haul.'

Caeodd Rhian ei llygaid. Gallai arogleuo rhywbeth: persawr ysgafn y blodau a godai ar yr awel, yn gymysg ag arogleuon eraill. Arogl ffresni, dyna oedd o. Teimlai'r haul yn tywynnu ar ei chroen a'r awel yn chwarae â'i gwallt. Caeodd ei llygaid yn dynnach er mwyn ceisio gweld a allai hi *deimlo*'r ffresni hefyd. Credai ei bod hi'n teimlo rhywbeth . . .

'Gi-li-gi-li! Gi-li-gi-li!'

Daeth sŵn cras i dorri ar draws ei meddyliau ac agorodd ei llygaid. Chwyrlïai gwylan wen uwchben.

'Gi-li-gi-li! Gi-li-gi-li!'

'Mae honna ar herw'n bell o'r môr,' meddai Nain, gan ailddechrau cerdded.

'Be ydi *herw*, Nain?'

'Wel, hela, ynde. Chwilio am fwyd mae hi. Mae hi'n chwilio am rywbeth, beth bynnag – ysbail o ryw fath.'

'Be ydi *ysbail*?'

'Rhywbeth mae rhywun yn ei ddwyn. Trysor, neu rywbeth gwerthfawr.'

'Ac mae'r wylan yn chwilio am drysor?'

'Wel, mae hi'n chwilio am rywbeth. Bwyd, mwy na thebyg, ond beth bynnag mae hi'n chwilio amdano, mae hi wedi teithio'n bell o'r môr i'w gael.'

'Ond mae 'na fôr yma, Nain. Môr o rug.'

Chwarddodd Nain. 'Oes, mae hynna'n wir, 'mechan i. Ond y môr hallt ydi cynefin yr wylan. Bydd gwylan yn crwydro'n bell o'r môr weithiau yn y gwanwyn pan fydd ffermwr yn dechrau aredig. Mae hi'n dod ar herw yr adeg honno, wst ti, i gipio'r pryfed sy'n codi i'r wyneb. Dwyn bwyd oddi ar adar y meysydd a'r caeau mae hi yr adeg honno. Wedyn mi ddaw hi'n ôl ar herw eto pan fydd y ffermwr yn plannu, y tro hwn i gipio'r had o'r ddaear; bryd hynny, mae hi'n dwyn bwyd oddi ar y ffermwr a'i deulu. Mae hi'n hedfan yn bell weithiau i ymweld â'r domen sbwriel hefyd. Ond wn i ddim pam mae hi'n bwyta sbwriel chwaith, a chymaint o grancod bach blasus i'w cael ar lan y môr.'

'A dyna ei chynefin hi, ynde?'

'Ie, nghariad i, dyna'i chynefin hi. Mae 'na hen rigwm, yndoes?'

A dechreuodd Nain lefaru, a thôn ei llais yn codi ar ddiwedd pob llinell gan hofran rhwng siarad a chanu:

'Mae cynefin gan bob aderyn,
un sy'n gweddu'n iawn i'w blu;
grugiar sydd ar lethrau'r mynydd,
yn y llwyn mae'r fwyalchen ddu;
tonnau'r môr yw cartre'r wylan,
yn y cae mae'r frân a'r bi,
cwsg tylluan yn ei choeden
a finnau yn fy ngwely i.'

Adroddodd Rhian y geiriau'n ddistaw wrthi'i hun wrth iddyn nhw ddringo'n araf ar hyd y llwybr a ymdroellai drwy'r môr o rug.

Stopiodd Nain eto a sylwodd Rhian eu bod nhw wedi cyrraedd pant bychan. Holltai'r llwybr yn ddau, y naill yn troi i'r dde gan blygu o gwmpas y pant ac ymlaen i fyny'r mynydd, a'r llall yn mynd i lawr i ganol y pant lle roedd dŵr glas-wyrdd yn disgleirio yn yr haul. Rhedodd Rhian i lawr y llwybr hwnnw gan chwerthin yn uchel, 'Y llyn! Y llyn cyfrinachol!'

Doedd Nain ddim wedi dod â hi am dro at y llyn bychan hwn ers talwm iawn, ac roedd Rhian wedi dechrau meddwl mai breuddwyd oedd y cyfan – y llyn cyfrinachol wedi'i guddio mewn pant nad oedd modd ei weld o'r iseldir, nac yn wir o'r llethrau islaw. Roedd yn rhaid cyrraedd ymyl y pant ac edrych i lawr i'w ganol er mwyn gweld y dŵr.

'Paid â mynd i'r dŵr, cariad!' gwaeddodd Nain ar ôl Rhian. 'Mae gynnon ni ffordd bell i gerdded eto heddiw, a fydd o ddim yn brofiad braf os byddi di wedi gwlychu dy sgidiau a dy sanau!'

Funud yn ddiweddarach roedd y ddwy'n eistedd ar garreg wastad ar lan y llyn.

'Dyma ddenodd yr wylan i fyny o'r môr, ynde, Nain? Y llyn?'

'Ie, nghariad i, mae'n rhaid. Mae 'na reswm dros bopeth. O leia mae 'na reswm dros bopeth ym myd natur, os nad ym myd dynion.'

Tawelodd Nain yn sydyn. Syllodd yn hir ar y llyn, ei llygaid yn craffu fel pe bai'n ceisio gweld beth bynnag oedd yn llechu o dan y dŵr glas-wyrdd. Sylwodd Rhian fod llygaid Nain yr un lliw â'r llyn, a bod ei gwallt cyrliog mor wyn â'r cwmwl bychan uwchben. Y cwmwl?

Pa bryd daeth hwnnw i'r golwg? Â'i llygaid wedi'u sodro ar y pant a'r llyn, doedd Rhian ddim wedi sylwi arno ar y dechrau. Ond roedd wedi ymddangos o rywle, wedi dringo dros gopa'r mynydd i lithro i lawr yr ochr arall, a bellach taflai ei gysgod dros y llyn. Cwmwl gwyn pluog, a'r gwynder yn ildio i ychydig o lwyd yn ei ganol lle roedd ar ei fwyaf trwchus.

Edrychodd Nain i fyny hefyd.

'Dyma hi, ein llong fach wen ni. Ond tydi hi ddim yn edrych mor fach rŵan, nacdi? A finnau'n ofni y byddai'n mynd yn sownd ar un o'r creigiau, dyma hi wedi llwyddo i lithro heibio iddyn nhw'n ddiogel.' Cododd ar ei thraed gan estyn llaw i Rhian.

'Ond fedrwn ni ddim mynd ar y llong yna heddiw, yn anffodus. Rhaid i ni gerdded i ben ein taith, ac mae gynnon ni dipyn o ffordd i fynd cyn cyrraedd.'

Ni ddywedodd yr un ohonyn nhw air wrth ddringo allan o'r pant a throi i ddilyn y llwybr arall hwnnw a blygai o gwmpas y llyn ac i fyny'r llethrau ar yr ochr arall. Roedd yn serth iawn, ac bu'n rhaid i Nain stopio bob hyn a hyn i gael ei gwynt.

'Ble dan ni'n mynd heddiw, Nain? Ro'n i'n meddwl mai'r llyn oedd pen y daith.'

Stopiodd Nain eto gan droi a gosod ei dwylo ar ysgwyddau Rhian. 'Ar unrhyw ddiwrnod arall,' meddai, 'byddai'r llyn yn gwneud pen-y-daith ardderchog. Ond heddiw mae 'na ben-y-daith arbennig yn disgwyl amdanat ti, un nad wyt ti wedi teithio iddo erioed o'r blaen.'

Dechreuodd gerdded eto, a Rhian yn dynn ar ei sodlau. 'Ble mae o, Nain? Be ydi o?'

Cerddodd Nain yn ei blaen, gan siarad ac ymladd am ei hanadl rhwng y geiriau.

'Heddiw . . . dw i'n . . . mynd . . . â chdi . . . i ryw-le . . . ar-ben-nig . . . iawn. Rhyw-le . . . ar-ben-nig . . . iawn.'

3

Roedd y llwybr defaid wedi diflannu erbyn hyn, ond daliai Nain i gerdded fel pe bai hi'n dilyn rhyw lwybr arall na allai Rhian ei weld. Er bod Rhian wedi bod ar lawer o deithiau fel hyn hefo Nain, ni allai ond rhyfeddu wrth ei gwylio'n camu'n hyderus dros y tir caregog.

Roedd natur y tir wedi dechrau newid. Yn lle môr o rug gydag ambell graig fel ynys ynddo, y creigiau oedd yn ffurfio'r môr bellach – creigiau mawr llwyd fel tonnau garw'n tasgu ac yn ymdaro mewn storm – a bellach doedd y grug yn ddim ond ambell ynys fechan i roi ychydig o liw gwyrdd a phiws yng nghanol y môr llwyd, garw. Chwipiai'r gwynt yn galetach, a thynnodd Rhian goler ei chôt yn dynnach o gwmpas ei gwddf.

'Ydi o'n bell, Nain?' Ceisiodd Rhian ddweud hyn yn siriol, fel hogan fawr yn dechrau sgwrs hefo oedolyn – nid fel hogan fach, flinedig, yn cwyno.

'Nacdi . . . nghariad i. Dan ni'n agos iawn rŵan,' galwodd Nain dros ei hysgwydd.

Roedd hi'n ymladd am ei hanadl eto, ond cariai ei llais yn gryf ac yn hyderus i glustiau Rhian, a hynny er gwaetha sŵn rhuo uchel y gwynt.

'Dy-di . . . o . . . ddim . . . yn . . . bell . . . Dim . . . ond . . . taf-liad . . . car-reg.' Stopiodd Nain, gan droi at Rhian yn wên o glust i glust. 'Wel . . . tafliad carreg cawr, efallai.' Chwarddodd a dechrau cerdded eto. A chyn i Rhian geisio dyfalu pa mor bell oedd tafliad carreg cawr, galwodd Nain dros ei hysgwydd, 'Paid . . . â . . . phoeni . . . nghar-i-ad . . . i . . . dim ond taf-liad . . . cawr . . . bych-an . . . bach . . . y-di . . . o.'

Stopiodd Nain eto, ac roedd Rhian yn disgwyl iddi droi ati a gwneud rhyw sylw digri ynglŷn â maint y cawr, ond ni symudodd am rai eiliadau. Trodd ei phen yn araf gan sibrwd rhywbeth dros ei hysgwydd. Boddwyd y geiriau gan ruo'r gwynt ac ni chlywodd Rhian yr un ohonyn nhw. Felly cerddodd gam yn agosach nes ei bod hi bron â chyffwrdd â chefn Nain. Sibrydodd Nain eto, a daeth y geiriau'n glir i glustiau Rhian y tro hwn: 'Sbia'n fan'na – llwynog!'

Ceisiodd Rhian sibrwd hefyd, 'Ble? Dw i ddim yn . . .' – ac yna mi welodd o – 'Ooo. Ie, mi wela i.'

Eisteddai'r anifail ryw ugain llath o'u blaenau, ac ychydig i'r chwith. Tafliad carreg plentyn bach i ffwrdd, meddyliodd Rhian. Roedd y llwynog yn eistedd, ond doedd o ddim yn edrych yn rhyw gyfforddus iawn. Symudai ei ben i'r naill ochr a'r llall – yn gwrando neu'n chwilio'n bryderus am rywbeth – a gallai Rhian weld ei fynwes yn symud yn gyflym fel pe bai'n ymladd am ei wynt.

Ac yna cododd ar ei draed ac i

ffwrdd â fo, yn neidio dros y tonnau o greigiau llwyd.

'Waawwff! Waawwff!'

Daeth sŵn newydd i glustiau Rhian, sŵn gwahanol i ruo'r gwynt. Ond roedd yn dod o bell i ffwrdd, a doedd hi ddim yn siŵr ei bod hi'n ei glywed yn iawn.

'Waawwff!'

Beth oedd o? Carreg yn disgyn ar garreg, a'r glep yn atseinio ar y llethrau caregog? Nage, rhywbeth byw oedd yn gwneud y sŵn yna. Llais o ryw fath . . . ond eto, doedd o ddim yn swnio fel llais.

'Dyna ryfedd.' Daeth llais Nain i dorri ar draws ei meddyliau. A hithau'n meddwl bod Nain yn sôn am y sŵn, sylwodd Rhian nad oedd hi wedi'i glywed a'i bod yn dal i feddwl am y llwynog.

'Rhyfedd ofnadwy,' ychwanegodd Nain. 'Be mae llwynog yn ei wneud yma, mor bell i fyny'r mynydd?' Anghofiodd Rhian am y sŵn wrth feddwl am ddirgelwch y llwynog.

'Rhyfedd ofnadwy,' dywedodd Nain eto. 'Does gan lwynog ddim llawer o fusnes mor bell i fyny'r mynydd. Ond eto, nid y ni ydi'r rhai cynta i weld llwynog mewn lle fel hwn.

Mae 'na gerdd am weld un "Ganllath o gopa'r mynydd". Sut mae hi'n mynd, deuda . . ?' Caeodd Nain ei llygaid cyn dechrau llefaru:

'Llithrodd ei flewyn cringoch dros y grib;
Digwyddodd, darfu, megis seren wib.'

Roedd Rhian wedi'i rhwydo gan swyn y geiriau wrth iddi feddwl am 'flewyn cringoch' y llwynog roedd hi newydd ei weld yn llithro dros grib y mynydd o'i blaen. Mor addas oedd ei ddisgrifio fel 'seren wib'! Roedd hi ar fin holi Nain am y gerdd pan ddaeth y sŵn i'w chlustiau eto.

'Waawwff! Waawwff!'

Roedd yn uwch ac yn agosach y tro hwn.

'Waawwff! Waawwff!'

Ci'n cyfarth! Roedd Nain wedi troi'i phen i gyfeiriad y sŵn.

'Dyna sy'n gyrru'r llwynog,' meddai. Safai'r ddwy am amser hir yn gwrando wrth i'r cyfarth ddod yn nes ac yn nes.

'Wawwff. Wawwff. Waw-aw-aw-awwwwff!'

Gwelodd Rhian ddyn yn cerdded i fyny'r llethrau islaw ac ychydig i'r chwith iddynt. Ac yna gwelodd y ci – yn agosach o lawer, tua hanner y pellter rhyngddi hi a'r dyn. Roedd yr un lliw â'r cerrig llwyd o'i gwmpas, ac felly ni sylwodd Rhian ar y ci ar y dechrau, er ei fod yn sgrialu rhedeg dros y cerrig ac yn cyfarth.

'Waawwff! Waawwff!'

'Edwart Jôs,' dywedodd Nain, gan gyfeirio at y dyn. Roedd hwnnw bellach yn ddigon agos atyn nhw fel y gallent weld ei wyneb. Cringoch oedd ei wallt (fel y llwynog, meddyliodd Rhian), gyda thrwyn fel eryr a gwefusau main. Pefrai'r llygaid bychain (unwaith eto, yn ddigon tebyg i lygaid y llwynog, meddyliodd Rhian) dan ei gap stabl. Cariai rywbeth yn ei law – ffon, efallai? Ond, eiliad yn ddiweddarach, sylweddolodd Rhian mai gwn oedd o.

'Bore da, Edwart Jôs.' Cododd Nain ei llaw arno. Roedd Rhian eisiau edrych ar y ci – gan ei bod hi'n hoff o gŵn o bob math – ond ni allai dynnu'i llygaid oddi ar y gwn. Doedd hi ddim yn credu'i bod hi wedi gweld gwn go iawn erioed o'r blaen, dim ond rhai mewn lluniau a ffilmiau, ac roedd yn codi ofn arni.

'Duwcs,' atebodd yntau. 'Be dach chi'ch dwy yn neud i fyny yn fam'ma?'

Roedd ei lais yn swnio ychydig yn gringoch

hefyd, fel dail crin yr hydref yn rhasglo ac yn rhatlo yn y gwynt.

'Wel mynd am dro, siŵr iawn. Mae'n fore braf ac yn dywydd perffaith i grwydro'r hen fynyddoedd 'ma. A be dach chi'n neud yma, Edwart Jôs, efo'r gwn 'na ar eich braich a'r hen gi hyll 'na yn ein dychryn ni fel 'na?'

Edrychodd Rhian i weld os oedd y ci'n hyll go iawn, ond roedd wedi diflannu dros y grib.

'Hela, siŵr iawn,' atebodd y llais cras. 'Dan ni ar ôl llwynog, a bron iawn wedi'i ddal o hefyd, ddywedwn i. Dach chi wedi'i weld o? Dan ni wedi'i ddilyn o yr holl ffordd i fyny o'r caeau top, a dw i ddim am ei golli fo rŵan.'

'Do, do. Wel, mi welson ni lwynog. Dwn i ddim ai'r un un oedd o, ond mi welson ni lwynog ychydig yn bellach i lawr yn fan'co.' Cododd Nain ei llaw a phwyntio bys i gyfeiriad y môr o rug yn y pellter islaw.

'Od hefyd. Mae Jep wedi mynd ar ei ôl o y ffordd yna,' a chododd Edwart Jôs ei law wag i bwyntio i'r cyfeiriad yr aeth y ci – a'r llwynog – dros y grib.

'Aaa,' dywedodd Nain. 'Wel, dan ni newydd weld clamp o sgwarnog yn rhedeg dros y grib acw. Rhaid bod eich ci wedi dal ei harogl hi yn lle arogl y llwynog.'

'Od iawn. Be mae sgwarnog yn neud i fyny fama, ar y creigiau uchel?'

'Rhaid bod eich ci chi wedi'i gyrru hi i fyny. Beth bynnag, i lawr fan'co oedd y llwynog. Ew, rhyw hanner milltir dda islaw, 'swn i'n ddeud.'

'Diolch,' meddai Edwart Jôs a galwodd ar y ci, y rhasglo'n troi'n weiddi croch. 'Jep! Jep! Ty'd! Ffordd 'ma!'

'Waawwff! Waawwff!' Daeth y ci yn ei ôl, gan neidio dros y grib, yn bedair coes brysur a blew llwyd garw.

'Hwyl i chi, 'te.'

'Hwyl, Edwart Jôs.' A chododd Nain ei llaw eto, er nad oedd Edwart Jôs yn cymryd sylw ohoni. Yn hytrach, edrychodd i lawr ar y tir caregog islaw wrth iddo ddechrau baglu i lawr y llethrau ar ôl Jep.

Safodd y ddwy'n hir yn gwylio'r ddau'n mynd. Roedd cysgod gwên ar wyneb Nain.

'Nain? Ymm. Ro'n i'n meddwl . . . dach chi'n gwbod . . .' Ni allai Rhian gael y cwestiwn o'i cheg. Ond gwyddai Nain yn iawn beth oedd y cwestiwn, a gafaelodd am ei hwyres wrth roi'r ateb iddi hi:

'Dw i'n gwybod, nghariad i. Nid dyna'r ffordd iawn. Mi ddeudis i ryw gelwydd bach wrtho fo.'

'Dw i erioed wedi'ch clywed chi'n deud celwydd o'r blaen.'

'Ia, wel, da o beth ydi hynny, yndê? Ond mae 'na wahanol fathau o gelwyddau. Dydi'r hen Edwart Jôs yna ddim yn cadw defaid – nac yn cadw ieir chwaith.'

'Nacdi?' holodd Rhian yn ansicr, gan ei bod hi'n rhy gwrtais o lawer ac yn parchu Nain ormod i ofyn 'be wnelo hynny â hyn?'

'Nacdi, nghariad i. Os ydi llwynog yn dwyn ieir ac yn lladd ŵyn bach, wel, am wn i, mae gan ffermwr hawl i amddiffyn ei anifeiliaid ei hun, wst ti. Ond dydi'r hen Edwart Jôs ddim yn amddiffyn unrhyw beth. Mae o'n hela er mwyn hela. Dyna'i ddiléit o. Mae o wastad wedi mwynhau hela. Mi fydda i'n meddwl bod lladd er mwyn lladd yn bechod mawr, wst ti, ac felly dydi o ddim yn gymaint o bechod i ddeud celwydd bach er mwyn ei daflu oddi ar drywydd yr hen lwynog 'na.' Ymledodd gwên heintus ar draws wyneb Nain, ac ni allai Rhian rwystro'i hun rhag chwerthin wrth ddweud, 'O, mi wela i.'

'Mi steddwn ni yma am ychydig i gael ein gwynt aton. Ac wedyn awn ni'n ôl adra.'

'Adra? Be am ben y daith? Be am y lle arbennig dach chi'n mynd â fi iddo fo heddiw?'

Diflannodd gwên Nain. 'Mae'n ddrwg gen i, nghariad i. Mae'n ddrwg iawn gen i. Ond rhaid i ni ei throi hi am adra rŵan. Fedra i ddim dangos y lle arbennig 'na i chdi heddiw. Ty'd rŵan, i ni gael gorffwys. Mae 'na garreg fawr wastad draw fan'co sy'n edrych yn debyg iawn i soffa!'

'Does dim rhaid i ni fynd adra, Nain! Dydw i ddim 'di blino eto . . . Wel, ddim go iawn. A dydw i ddim yn oer. Steddwn ni yn fanna am dipyn.'

'Chwarae teg i ti, nghariad i. Mi fyddet ti'n cerdded drwy'r dydd hefo fi heb gwyno dim. Ond, wel, fedra i ddim mynd â chdi yno rŵan.'

'Pam? Dw i ddim yn deall. Does 'na ddim byd wedi newid, nac oes?'

'Wel, oes.'

Daeth cysgod dros feddwl Rhian a neidiodd ei chalon. 'Dach chi'n iawn, Nain?' holodd. 'Dach *chi* wedi blino? Eich coesau? Eich cefn? Dach chi'n gallu cerdded?'

'Yndw, yndw. Dw i'n iawn, nghariad i, paid â phoeni. Nid dyna'r broblem – ddim heddiw, o leia,' a chwarddodd yn ysgafn. Daeth ei gwên yn ôl ac roedd ei llygaid yn pefrio unwaith eto.

'Mae'r lle arbennig hwn, fel llawer o lefydd arbennig, yn lle cyfrinachol hefyd. Fi ydi'r unig un ar wyneb y ddaear sy'n gwybod amdano, ac mae gen i gyfrifoldeb drosto fo. Rhaid imi ei warchod. Fedra i mo'i ddangos o i chdi rŵan, ddim efo'r hen Edwart Jôs 'na o gwmpas y lle.'

'Ond dydi o ddim o gwmpas rŵan, Nain. Mae o wedi hen fynd. Fedra i mo'i weld o, hyd yn oed.'

'Dw i'n gwybod, nghariad i, ond fedra i ddim. Ddim rŵan. Mae'n rhy bwysig.' Pwysodd yn drwm ar Rhian wrth iddi godi'n araf ar ei thraed.

'Fi ydi'r unig un sy'n gwybod y gyfrinach. A dw i am rannu'r gyfrinach honno hefo chdi. Ond ddim heddiw . . .'

4

Roedd Rhian yn sicr ei bod hi'n clywed sŵn o ryw fath, ond ar y dechrau doedd hi ddim yn siŵr beth oedd o. Daeth yn nes ac yn nes, gan godi'n uwch ac yn uwch. O'r diwedd, sylweddolodd beth o – sŵn carnau. Carnau ceffylau'n carlamu'n wyllt! Roedd y ddaear yn galed a'r carnau'n curo'r tir caregog gan greu twrw fel cant o ddrymwyr gwallgo'n curo'u drymiau'n wyllt. Aeth y sŵn drwy glustiau Rhian. Roedd arni hi ofn, ond teimlai'n gyffrous hefyd, gan edrych ymlaen at weld y ceffylau gwyllt oedd yn gallu creu'r fath dwrw. Ond ble oeddan nhw? Roedd y sŵn mor uchel . . . rhaid bod y ceffylau'n agos iawn.

Deffrodd Rhian a sylweddoli ei bod yn gorwedd yn ei gwely. Daliai i glywed y sŵn, ond gwyddai bellach nad sŵn ceffylau'n carlamu dros dir caregog oedd o, ond sŵn traed ei chwiorydd iau yn rhedeg yn wyllt ar hyd y landin y tu allan i'w llofft. Cododd

Rhian ar ei heistedd yn y gwely, ond cyn iddi gael cyfle i osod ei thraed ar y llawr, dyma gorwynt swnllyd yn chwythu drws ei llofft ar agor, a'i dwy chwaer fach oedd y corwynt hwnnw. Rhedodd Lleucu a Llinos i mewn i'r stafell gan sgrechian-chwerthin a rhuthro'n wyllt o gwmpas yr ystafell. Ni allai Rhian ond gwenu, a hynny er gwaetha'r ffaith nad oedd hi'n hoffi cael ei deffro'n gynnar ar fore Sadwrn.

31

'Be ar wyneb y ddaear ydach chi'ch dwy'n 'neud?'

'Chwarae,' atebodd Lleucu gan ymestyn ei dwylo a neidio fel pe bai'n ceisio cyffwrdd â'r nenfwd.

'Ie, chwarae,' ategodd Llinos heb stopio na hyd yn oed edrych ar ei chwaer hŷn.

'Wel, mae hynny'n amlwg, ond chwarae be?' Cododd Rhian o'r gwely, a thwtio fymryn arno.

'Gabidridyns!' gwaeddodd Lleucu gan chwerthin a dechrau rhedeg ar ôl Llinos.

'Ie, Gabidridyns!' ategodd Llinos.

'Wel wir, wyddwn i ddim bod efeilliaid bach pedair oed yn gallu creu cymaint o dwrw.'

'Ti wastad yn deud 'yn bod ni'n creu twrw,' meddai Llinos cyn iddi wibio allan drwy'r drws.

Oedodd Lleucu am eiliad cyn dilyn ei chwaer, 'Ie. Ac nid efeilliad bach pedair oed ydan ni, ond Gabidridyns!'

'A be ydi Gabidri-be-bynnag?' galwodd Rhian ar ôl y ddwy, ond roedden nhw eisoes wedi diflannu o'r golwg. Bum munud yn ddiweddarach, roedd Rhian wedi ymolchi a gwisgo'n frysiog ac ar ei ffordd i lawr y grisiau i gael ei brecwast. Ond cyn iddi gyrraedd y gegin, cofiodd am Nain. Trodd i'r cyfeiriad arall gan dynnu'i chôt oddi ar y bachyn ar y wal wrth y drws. Ond bu'n rhaid iddi stopio'n sydyn wrth glywed llais Dad.

'A ble wyt ti'n mynd heb dy frecwast?'

Roedd ei thad yn dod allan o'r gegin â lliain sychu llestri dros ei ysgwydd.

'Mae dy chwiorydd wedi bwyta ers hanner awr. Tyrd i gael ychydig o gorn-fflêcs a ffrwyth neu rywbeth, ac wedyn mi gei di fynd i weld dy Nain. Beth bynnag, dan ni eisiau rhoi cyfle iddi hi gysgu.'

'Dydi Nain byth yn cysgu'n hwyr yn y bore.'

'Dw i'n gwybod, ond rhag ofn. Dydi hi ddim yn ei hwyliau gorau ar hyn o bryd.'

Ni allai Rhian beidio â meddwl am ei Nain wrth iddi lowcio'i brecwast. Dim ond diwrnod neu ddau ar ôl iddyn nhw fynd am dro gyda'i gilydd i'r mynyddoedd y tro diwetha, roedd Nain wedi cwympo yn yr ardd gan frifo'i chefn a'i choes. Bu'n rhaid iddi aros yn yr ysbyty am wythnos gyfan, ond roedd hi'n ôl yn ei chartref ei hun ers rhyw bythefnos. Er i rieni Rhian geisio'i pherswadio i aros efo nhw tra oedd hi'n gwella, roedd yn well ganddi aros yn ei bwthyn ei hun. Ac roedd Rhian yn gwybod bod Nain yn awyddus i'w gweld y bore hwnnw.

Cyn pen dim roedd Rhian wedi gollwng ei llestri budron yn y sinc ac ar ei ffordd allan drwy'r drws.

'Cofia fi ati,' galwodd Dad ar ei hôl, 'a deud y bydda i draw yn nes ymlaen.'

'Iawn,' gwaeddodd Rhian wrth gau'r drws yn glep. Roedd ei mam a'i dwy chwaer fach ar eu gliniau yn yr ardd, yn chwarae gêm o ryw fath.

'Tyrd i chwarae hefo ni,' galwodd Llinos.

'Fedra i ddim, dw i'n mynd i weld Nain.'

'Ga i ddod?' galwodd Lleucu.

'Na,' meddai ei mam. 'Tyrd i orffen ein gêm gynta. Mi awn ni draw i weld Nain efo'n gilydd yn nes ymlaen. Gad i Rhian fynd ar ei phen ei hun bore 'ma. Ac mae'r ieir a'r gwyddau angen . . .'

Ni chlywodd Rhian weddill y sgwrs: roedd hi'n rhedeg nerth ei choesau ar draws y cae. Carlamodd Lisabeth i'w chyfarfod, ond roedd Rhian yn dringo dros y gamfa cyn i'r ferlen ei chyrraedd.

'Mae'n ddrwg gen i, yr hen hogan. Rhaid imi

fynd i weld Nain. Ond dw i'n addo dod â moronen neu afal i chdi'n nes ymlaen.'

Erbyn iddi gyrraedd drws y bwthyn roedd Nain yno'n disgwyl amdani.

'Wel, dyma chdi. Ro'n i newydd agor y drws i weld sut dywydd ydi hi heddiw.'

Daeth Nain allan, yn cerdded yn araf gan bwyso ar ei ffon newydd. Safodd ar y llechen fawr y tu allan i'r drws gan godi'i phen ac anadlu'n ddwfn.

'Wel, mae'n ddiwrnod go lew, yntydi? Ond fyddwn ni ddim yn ei throi hi am y mynyddoedd heddiw, gwaetha'r modd, nghariad i. Tyrd i ni gael eistedd yn yr ardd a sgwrsio.'

Gwibiodd Rhian i'r sied fach yn yr ardd gefn i nôl dwy gadair blygu. Cyn pen dim roedd wedi'u gosod ar y lawnt rhwng y gwlâu blodau a'r ddwy'n eistedd yn gyfforddus arnyn nhw.

'Dyma braf. Mae 'na lawer o fywyd ar ôl yn yr hen ardd 'ma o hyd, er bod yr haf yn dirwyn i ben. Ac er na fydda i'n medru mynd am dro efo chdi am sbel eto, mi fedraf o leia eistedd yma ac edrych ar y mynyddoedd.'

Ni chollodd Rhian ei chyfle. Cododd ei phen yn falch ac adrodd y geiriau roedd Nain wedi'u dysgu iddi flynyddoedd yn ôl: 'Dyrchafaf fy llygaid i'r mynyddoedd, o'r lle y daw fy nghymorth.'

'Da iawn, nghariad i. Ie, o'r lle y daw fy nghymorth.'

'Mae Mam yn deud bod hynna'n dod o'r Beibl.'

'Ydi, nghariad i, ond dw i'n siŵr ei fod yn hŷn na'r Beibl hefyd. Mae pobl wedi bod yn codi'u llygaid tua'r mynyddoedd ers dechrau hanes. Ers cyn dechrau hanes, mewn ffordd o siarad.'

Roedd Rhian yn gwrando'n gwrtais er nad oedd hi'n deall yn hollol am beth roedd Nain yn sôn. Ond bachodd ar y cyfle i newid y pwnc ar ôl i Nain dawelu.

'Nain?'

'Ie, nghariad i?'

'Mi fyddwch chi'n mendio'n o fuan, yn byddwch?'

'Wel byddaf, siŵr iawn. Ond mae'r meddygon yn deud wrtha i y bydd yn cymryd sbel.'

'Faint?'

'Dwn i ddim yn union. Ond, wst ti, dydi hen bobl ddim fel hen goed derw.'

'Dw i ddim yn dallt. Be dach chi'n feddwl?'

'Wel, mae derwen yn mynd yn gryfach wrth

iddi heneiddio. Mae'i phren hi'n mynd yn galetach ac yn galetach nes ei bod hi mor galed â haearn Sbaen.'

'Pa mor galed ydi hynna?'

'Caled iawn. Ond nid felly mae hen bobl, wst ti. Ar ôl cyrraedd rhyw oedran, mae pobl yn dechrau mynd yn fwy bregus wrth iddyn nhw heneiddio. Mae esgyrn yr hen dderwen yn mynd yn galetach o hyd, ond mae esgyrn hen ddynes fel fi'n mynd yn fwy brau.'

'Ond . . . mi fyddwch chi'n mendio?'

'O, byddaf. Maen nhw'n deud bod afonydd yn mynd yn fwy gwyllt wrth iddyn nhw heneiddio. Maen nhw'n deud mai'r afonydd hynaf yw'r rhai dyfnaf a mwyaf anodd eu trin. Ac mi ydw i'n credu 'mod innau'n mynd ychydig yn fwy anystywallt wrth imi heneiddio hefyd.'

Chwarddodd Nain, a dechreuodd Rhian chwerthin hefyd er nad oedd hi'n deall popeth yr oedd hi wedi'i ddweud wrthi.

'Fedra i ddim disgwyl, Nain. Dw i eisiau i chi wella, mwy nag unrhyw beth yn y byd. A hefyd . . .' Tawelodd Rhian cyn gorffen ei brawddeg.

'Ie, nghariad i?'

'A hefyd . . . wel . . . dw i eisiau i chi

ddangos y lle 'na imi. Y lle arbennig yn y mynyddoedd.'

'O, dw i'n gwybod hynny, nghariad i. Mae'n anodd aros, unwaith mae rhywun wedi clywed si am ryw gyfrinach neu ddirgelwch. Ac mae hon yn gyfrinach fawr iawn, y fwya imi ddod ar ei thraws yn ystod fy holl fywyd.'

'Saith deg pump o flynyddoedd!'

'Ie, nghariad i. Hon ydi'r gyfrinach fwya imi ddod ar ei thraws yn ystod fy saith deg pump o flynyddoedd ar y ddaear 'ma.'

Eisteddodd y ddwy'n ddistaw am ychydig, gyda Rhian yn mwynhau'r awel iach ar ei hwyneb ac arogl y blodau o'i chwmpas. Sylwodd Rhian fod ei nain yn syllu ar y mynyddoedd o hyd, ond o'r diwedd, trodd i syllu i fyw llygaid Rhian.

'Ond paid â phoeni, nghariad i. Tra dan ni'n disgwyl i'r hen esgyrn 'ma fendio, mae gen i rywbeth i ddifyrru'r amser.'

'Difyrru'r amser?'

'Rhywbeth fydd yn sicr o dy gadw di'n hapus. Dw i am adrodd stori wrthat ti, stori arbennig iawn, stori dw i wedi bod yn aros am flynyddoedd i'w hadrodd . . .'

5

'Mae gen i ddwy stori i ti, a deud y gwir,' meddai Nain, gan bwyso'n ôl yn ei chadair a chodi'i wyneb at yr haul. 'Mae'r stori gynta 'ma yn mynd i swnio'n debyg i chwedl.'

Roedd Rhian yn gwybod yn iawn beth oedd ystyr 'chwedl': stori hud a lledrith, stori ffantasïol am bethau anhygoel a ddigwyddodd amser hir yn ôl, fel chwedlau'r Mabinogi. Roedd Nain wedi adrodd y chwedlau hynny wrthi hi sawl tro, ac roedd Rhian wrth ei bodd yn clywed am hynt a helynt Branwen, Bendigeidfran, Lleu a Blodeuwedd (er bod y straeon yna braidd yn frawychus ar adegau). Roedd hi wrth ei bodd yn trafod y gwahaniaeth rhwng y gwahanol fathau o straeon hefo Nain – stori, stori wir, stori ysbryd, stori dylwyth teg, hanes, hanesyn, chwedl.

'Iawn, Nain. Dw i'n edrych 'mlaen!'

'Mae hon yn stori wir, cofia, ac yn gyfrinach hefyd.'

'Iawn, Nain.'

'O ddifri, rŵan. Felly cyn imi fynd ymlaen, dw i eisiau iti addo imi na fyddi di'n ailadrodd y stori wrth neb. Wyt ti'n addo?'

'Yndw, Nain. Dw i'n addo!'

Oedodd Nain am ychydig, gan gau'i llygaid ac anadlu'n ddwfn. Roedd ei hwyneb wedi'i godi i gyfeiriad yr haul o hyd a rhyw fath o hanner gwên yn chwarae ar ei gwefusau.

'Unwaith y flwyddyn, a dim ond unwaith y flwyddyn, mae rhywbeth arbennig iawn yn digwydd yn rhywle yn y mynyddoedd acw.'

Agorodd ei llygaid a throi'i phen ychydig gan amneidio at y copaon yn y cefndir, cyn sodro'i llygaid ar lygaid Rhian ac ailgydio yn ei stori.

'Ac ar ddiwrnod arbennig, pan fydd y cymylau pluog yn ymffurfio'n dorch o gwmpas copa un o'r mynyddoedd hyn, daw pont i lawr o'r cymylau i'r ddaear. Pont hudol ydi hi, mewn ffordd, ond eto mae'n amhosibl deud beth sy'n ffurfio'r bont – ai hud, ai lledrith, neu ai pwerau o ryw fath arall sy'n rheoli'r byd yna i fyny yn y cymylau. Ond pont ydi hi, ac mae 'na enw arni: y Bont Wen.

'Fe ddaw'r Bont Wen i lawr o'r awyr a chydio yn y ddaear gan gysylltu'r cymylau â'n byd ni. Ac wedyn, ar ôl i'r Bont ymffurfio . . . ac ymestyn . . . a chydio . . . a chysylltu . . . mae 'na rywbeth rhyfedd yn digwydd!'

'Be, Nain?! Be?!' gwaeddodd Rhian. Doedd hi ddim yn hoffi torri ar draws stori, ond gwyddai fod rhywbeth mawr yn dod ac ni allai ddisgwyl.

'Wedyn, fy nghariad gwyn i, fe ddaw'r ceffylau i lawr i'r ddaear.'

'Ceffylau!?' Roedd syndod, pleser, dryswch a'r awydd i wybod mwy yn gymysg i gyd yn llais Rhian.

41

'Ie, y ceffylau. Maen nhw'n carlamu'n wyllt i lawr y Bont, eu myngau a'u cynffonnau'n cyhwfan fel baneri yng ngafael gwynt y mynydd, a mwng a chynffon pob ceffyl mor wyn â'i gartref yn yr awyr. Maen nhw'n hollol ddistaw ar y Bont, ond unwaith mae'u carnau'n cyffwrdd â'r ddaear, maen nhw'n creu twrw. Y math o dwrw y byddai rhywun yn disgwyl ei glywed wrth weld llwyth o geffylau gwyllt yn carlamu nerth eu coesau dros dir caregog. A dyna'n union beth maen nhw'n ei wneud – carlamu'n wyllt dros dir caregog y mynydd gan guro'r llethrau â'u carnau a neidio dros greigiau.

'Maen nhw'n sionc iawn, a phob ceffyl yn sicr ei gam. Byddai rhywun yn meddwl ei bod hi'n amhosibl i anifail mawr trwm fel ceffyl redeg a neidio dros y creigiau a'r llethrau uchel yna, ond mae pob un ohonyn nhw'n carlamu dros y tir caregog mor sionc â gafr fynydd. Ond dydyn nhw ddim yn dewis eu llwybrau'n ofalus, yn dringo ac yn mingamu dros y creigiau fel geifr. Nac ydyn, wir. Maen nhw'n rhedeg fel ceffylau, yn carlamu, neidio, a churo'r ddaear â'u carnau, nes bod eu twrw'n atseinio dros y llethrau. I rywun sy'n gwrando'n bellach i lawr y mynydd, mae'n swnio fel tirlithriad neu hwyrach fel mellt a tharana'n taro i fyny ymysg y copaon.'

'Dyna be ydi o, o bosib, Nain? Sŵn storm . . . mellt a tharana'n atseinio yn y mynyddoedd? Neu dirlithriad . . . creigiau'n disgyn a'r twrw'n atseinio . . . a rhywun wedi clywed y sŵn ryw dro ac wedi dyfeisio'r stori 'ma, y chwedl am y ceffylau.'

'Na, nghariad i, er y byddai hynny'n haws ei ddeall. Ond nid mellt a tharana ydi'r sŵn. Ac nid tirlithriad ydi o chwaith, ond ceffylau. Ceffylau'n carlamu'n wyllt o gwmpas copa'r mynydd. Ac ar ôl ychydig, maen nhw'n mynd yn eu holau. Maen nhw'n carlamu'n ôl i fyny'r Bont Wen i'r cymylau. Ar ôl hynny, mae'r Bont yn diflannu a'r cymylau'n symud ymlaen, fel y bydd cymylau. Symud o hyd. Newid o hyd. A dyna'r ceffylau wedi mynd am flwyddyn arall. Dim ond unwaith y flwyddyn maen nhw'n dod i lawr i'r ddaear, a dim ond yn y lle arbennig hwn.'

6

'Dw i'n gwybod bod gen ti nifer o gwestiynau i'w gofyn, ond dw i eisiau iti fod yn amyneddgar ac aros yn dawel am ychydig.' Oedodd Nain gan gau'i llygaid ac anadlu'n ddwfn.

Tywynnai'r haul o hyd. Canai'r adar o hyd hefyd, a llifai persawr hyfryd blodau'r ardd o gwmpas Rhian a Nain. Ond ni sylwodd Rhian ar ddim o'r pethau hyn. Roedd ei llygaid wedi'u hoelio ar Nain, a'i chlustiau wedi'u cau i bob sŵn ar wahân i lais Nain.

Siaradodd Nain eto, er nad oedd hi wedi agor ei llygaid. 'Cyn i ti ddechrau gofyn cwestiynau am y stori yna, dw i am ddechrau'r ail stori.'

Roedd Nain yn iawn fel arfer, ac roedd hi'n iawn y tro hwn hefyd. Daeth cwestiwn ar ôl cwestiwn i feddwl Rhian, ac roedd yr holl gwestiynau hyn yn cronni ynddi fel dŵr yn cronni y tu ôl i argae; roedden nhw'n barod i dorri'n rhydd a thasgu dros ei thafod ac allan o'i cheg fel dŵr yn tasgu dros gerrig mewn

44

rhaeadr. Ond ni ddywedodd Rhian air. Brathodd ei gwefus ychydig wrth geisio dal y rhaeadr o gwestiynau i mewn. Teimlai ei bod hi bron â ffrwydro (fel y byddai Nain yn ei ddweud weithiau), ei bod 'jest â byrstio' (fel y byddai rhai o'i ffrindiau yn yr ysgol yn ei ddweud). Ond roedd 'na olwg ar wyneb Nain yn ei rhybuddio y dylai aros yn ddistaw, oherwydd bod yr ail stori'n werth ei chlywed.

'Cyn iti ddechrau gofyn cwestiynau am geffylau'r cymylau, mi ddylet ti glywed yr ail stori 'ma. Mae'n debyg y bydd y stori hon yn egluro rhywfaint o'r hanes ac yn ateb rhai o dy gwestiynau di.' Oedodd Nain eto gan anadlu'n ddwfn. Arhosodd yn ddistaw am funud, yna agorodd ei llygaid a dechrau siarad.

'Stori amdana i ydi hon – rhywbeth a ddigwyddodd imi flynyddoedd lawer yn ôl pan o'n i'n hogan fach, fatha chdi. Amser rhyfel oedd hi. Mi wyt ti'n gwybod pa ryfel oedd hwnnw, on'd wyt ti?'

'Yndw, Nain. Yr Ail Ryfel Byd.'

'Ie, 'mechan i, yr Ail Ryfel Byd. Ro'n i'n hogan fach tua'r un oed â chdi yn ystod y rhyfel hwnnw. Wyt ti'n cofio hanes fy nghefnder, Wiliam?'

'Yndw, Nain. Roedd o'n byw yn Lerpwl, ac oherwydd bod awyrennau'r Almaenwyr yn bomio'r ddinas, daeth Wiliam atoch chi i fyw am ei fod o'n saffach yn y wlad. Roeddan nhw'n galw'r plant ddaeth o'r ddinas i'r wlad yn ifaciwîs. Roedd y rhan fwya ohonyn nhw'n cael eu gyrru i aros efo pobl ddiarth, ond gan fod Wiliam yn un o'r teulu, mi gafodd aros efo chi. Ac er bod yr ifaciwîs eraill yn gorfod dysgu Cymraeg, roedd o'n siarad Cymraeg yn barod, gan fod ei rieni fo wedi symud o Gymru i Lerpwl a fynta'n mynd i gapel Cymraeg a phob dim. Mi ges i'r holl hanes gynnoch chi ar gyfer prosiect ysgol y llynedd.'

'Do, do. Ac mi wyt ti'n cofio'n dda iawn, hefyd, chwarae teg i ti. Ond dyma stori arall am rywbeth a ddigwyddodd i mi ac i Wiliam yn ystod y rhyfel, stori nad wyt ti wedi'i chlywed o'r blaen. A chyn imi fynd ymhellach, dw i eisiau iti addo i beidio â deud gair wrth neb arall. Mae'r stori gynta yna am geffylau'r cymylau'n gyfrinach, ac mae'r stori hon yn gyfrinach hefyd. Mae hi'n wir bob gair. Iawn?'

'Iawn, Nain, iawn. Dw i'n addo.' Roedd Rhian yn gwneud ei gorau glas i siarad yn araf ac yn gwrtais, ond llifodd y geiriau'n gyflym dros ei thafod gan ei bod hi'n awyddus i Nain barhau â'r stori.

'O'r gorau, nghariad i. Wyt ti'n barod?'

'Yndw, Nain.'

Caeodd Nain ei llygaid am eiliad a phlygu'i phen nes bod ei gên yn pwyso ar ei mynwes. Byddai rhywun arall yn debyg o feddwl ei bod hi'n cysgu, ond gwyddai Rhian fod Nain yn casglu'i meddyliau a threfnu'i hatgofion. O'r diwedd, agorodd ei llygaid a dechrau siarad.

'Ro'n i'n byw yn y tŷ lle dach chi'n byw rŵan, ac roedd fy nhaid a nain innau'n byw yn yr hen fwthyn 'ma. Ro'n i'n cysgu yn y llofft lle rwyt ti'n cysgu rŵan, ac wedyn, gan 'mod i'n unig blentyn, roedd Wiliam, fy nghefnder, yn cysgu yn y llofft lle mae Lleucu a Llinos yn cysgu.'

Er bod Rhian yn gwybod hyn i gyd yn barod, roedd hi'n mwynhau clywed yr hanes eto, gan ddychmygu Nain yn hogan fach yn cysgu yn ei llofft hi, a'i chefnder Wiliam yn cysgu yn llofft Lleucu a Llinos.

'Ac roedd Wiliam wrth ei fodd efo'r mynyddoedd. Er ei fod o wedi'i fagu mewn dinas, roedd o'n mwynhau crwydro'r caeau 'ma, a cherdded yn y mynyddoedd. Ac er ei fod o'n hogyn clên iawn, roedd o braidd yn ddireidus hefyd. Roedd o wastad yn chwilio am ffordd o dorri'r rheolau, a phan oedd o'n cael ei ddal roedd o'n llwyddo i feddwl am ryw esgusodion. Doeddan ni ddim yn cael cerdded yn bellach na'r hen lôn uchel, ond roedd Wiliam wastad yn fy mherswadio i fynd yn bellach na hynny.

'Weithiau byddai Nain neu Taid yn ein dal ni. Cofia 'i fod o'n gefnder imi, yn fab i frawd fy mam, ac felly roeddan ni'n rhannu'r un taid a nain. Ond roedd gan Wiliam ffordd o'u troi nhw o gwmpas ei fys bach. Weithiau, byddai Dad neu Mam yn ein dal ni, ond llwyddai Wiliam i'w troi nhwytha o gwmpas ei fys bach hefyd. Roedd ganddo ryw ffordd anhygoel o gael hyd i'r geiriau iawn bob tro, geiriau fyddai'n plesio pwy bynnag oedd wedi'n dal ni.'

Oedodd Nain a gwyddai Rhian fod yna groeso iddi ofyn cwestiwn. Roedd hi'n gwybod pryd i dorri ar draws stori gyda chwestiwn, a phryd y dylai hi aros yn dawel. Roedd hi eisiau gwybod mwy am Wiliam, felly manteisiodd ar y cyfle i holi amdano.

'Pa fath o bethau oedd o'n ddeud, Nain, i'ch cael chi allan o drafferth?'

'Wel . . . er enghraifft . . . roedd Taid yn hoff iawn o adar. Roedd o'n treulio llawer o'i amser rhydd yn gwylio adar o bob math, ac felly tasai Taid yn ein dal ni'n gneud rhyw ddrygioni, byddai Wiliam yn deud 'i fod o wedi clywed rhyw aderyn rhyfedd yn canu – un nad oedd o wedi'i glywed erioed o'r blaen. A byddai'n deud wedyn ein bod ni wedi dilyn cân yr aderyn er mwyn ceisio dod o hyd iddo fo, a bod y gân wedi'n harwain yn uwch ac yn uwch i fyny'r mynydd.'

Oedodd eto, a bachodd Rhian ar y cyfle i ofyn cwestiwn arall. 'Oedd Wiliam yn deud celwyddau, felly, Nain?'

'Nac oedd, ddim yn hollol. Plygu tipyn ar y

gwir oedd o. Roedd o'n ddireidus, oedd, ond doedd o ddim yn deud celwyddau noeth chwaith.'

'Dw i ddim yn deall.'

'Wel, wst ti, roedd Wiliam wedi'i fagu yn y ddinas, ond roedd ganddo fo ddiddordeb mawr yn y wlad. Mi *oedd* o wrth ei fodd yn clywed cân gwahanol adar ac yn gweld adar newydd am y tro cynta. Roedd o'n cymryd ar ôl Taid yn hynny o beth, am wn i. Ac felly mi fyddai'n aml yn clywed cân aderyn oedd yn newydd iddo fo. Doedd y gân ddim yn swnio'n newydd nac yn rhyfedd i ni gan ein bod ni wedi'n magu yma, ond roedd o'n gweld ac yn clywed pethau newydd o hyd. Ac felly byddai'n defnyddio hynny fel esgus er mwyn crwydro'r mynyddoedd – hynny ydi, tasa Taid yn ein dal ni. Nid deud celwydd oedd o, ond plygu'r gwir. Un bach direidus fel yna oedd o.' Oedodd Nain eto.

'Ond dydi hynna ddim yn gyfrinach, nac 'di, Nain?'

'Nac 'di, nghariad i, dydi hynna ddim yn gyfrinach. Ond mae'r stori dw i am ei hadrodd iti rŵan yn gyfrinach, felly cofia di . . .'

7

'Fel y gwyddost ti, roedd Wiliam a'i deulu'n byw yn Lerpwl. Ac ar ôl i'r Rhyfel ddechrau – a chyn i rieni Wiliam gael cyfle i'w anfon o Lerpwl i Gymru aton ni – cafodd gyfle i weld rhywfaint o'r hen fomio 'na efo'i lygaid ei hun. Yn ôl Wiliam, roedd yr awyrennau'n edrych fel adar mawr du yn hedfan uwchben y ddinas, ac roedd y brain yn chwyrlïo uwchben ein caeau ni weithiau'n ei atgoffa o'r awyrennau rhyfel yna.'

'Deffrodd Wiliam ganol nos unwaith a dod i mewn i'm stafell i i 'neffro. Mi ddwedodd ei fod wedi gweld awyren yn hedfan fel brân fawr ddu dros ein caeau ni i gyfeiriad y mynyddoedd, ei fod wedi gweld ei hadenydd yn glir yn erbyn y lleuad a'i fod yn gwybod mai un o awyrennau'r Almaenwyr oedd hi. Rhaid ei bod hi wedi methu dod o hyd i'w tharged, sef Lerpwl, ac wedi mynd ar goll uwchben mynyddoedd Cymru.'

'Ddeudis i wrtho fo mai breuddwyd oedd y cyfan, ac y dylai o fynd yn ôl i gysgu, ond roedd o'n mynnu nad breuddwyd oedd hi. Roedd sŵn yr awyren wedi'i ddeffro, medda fo, ac yntau wedi rhedeg at y ffenest. Edrychodd allan, a gweld yr awyren yn hedfan i gyfeiriad y mynyddoedd, yn edrych fel brân fawr ddu yn erbyn golau'r lleuad. Ac roedd o'n siŵr ei bod hi wedi disgyn rywle yn y mynyddoedd. Roedd wedi clywed sŵn uchel ar ôl iddi fynd o'i olwg, ac yn teimlo'n sicr ei bod hi wedi hedfan i mewn i ochr un o'r mynyddoedd. Roedd o'n mynnu bod y cyfan yn wir. Fel 'na mae breuddwydion weithiau – mae ambell un yn gallu cydio ynot ti.

'Ro'n i eisiau ei gredu, ond allwn i ddim. Pam nad oedd yr holl sŵn wedi 'neffro i? Roedd Mam a Dad yn dal i gysgu, a doedd 'na ddim golau yn ffenest bwthyn Taid a Nain, felly roedd hi'n amlwg nad oedd dim byd wedi'u deffro nhw chwaith. Ond dyna ni, roedd Wiliam yn mynnu, a dyna lle'r o'n i am oriau – yn dal pen rheswm efo fo, yn dadlau ac yn trio'i berswadio. Ches i ddim llawer o gwsg y noson honno.

53

'Y peth cyntaf wnaeth Wiliam y bore wedyn oedd holi pawb – Mam, Dad, Taid, Nain – oedd 'na rywun wedi clywed neu weld yr awyren. Aeth o gwmpas yr ardal wedyn yn holi pobl ar y ffermydd cyfagos ond na, doedd neb wedi gweld na chlywed dim. Tasa 'na awyren Almaenig wedi'i gweld yn yr ardal, byddai'n newyddion mawr a'r hanes yn dew ar hyd y lle. Ond doedd neb wedi gweld na chlywed dim – neb ond Wiliam.

'Felly mae'n amlwg mai breuddwyd oedd hi wedi'r cwbl. Ond, wst ti, mae rhai breuddwydion yn gallu bod yn fyw iawn ac yn cydio ynon ni. Ac felly roedd y freuddwyd honno wedi cydio yn Wiliam. Ar ôl iddo fo weld yr awyrennau'n bomio Lerpwl, yn chwalu tai ac yn difetha'r strydoedd yn y ddinas, roedd o eisiau gweld un yn agos. A wyddost ti be wnaeth o? Penderfynu chwilio am yr awyren oedd wedi dod i lawr yn y mynyddoedd. Ac er 'mod i'n gwybod mai breuddwyd oedd y cyfan, ces i fy mherswadio gan Wiliam i fynd efo fo i chwilio amdani. Ac felly dyna oedd yn llenwi'n holl oriau rhydd ni am wythnosau: cerdded llethrau'r mynyddoedd a chwilio am ddarnau o'r awyren. A wyddost ti be, Rhian?'

'Be, Nain?'

Llefarodd Nain y geiriau nesaf yn araf iawn, 'Mi ddaethon ni o hyd i ddarnau ohoni yn y diwedd.'

'Be?! Ond ro'n i'n meddwl mai breuddwyd oedd y cyfan! Sut mae hynny'n bosib?'

'Wel, nghariad i, mae 'na freuddwydion ac mae 'na ddychymyg. Ac mae dychymyg yn beth bwerus iawn, yn enwedig mewn plant. Mae dychymyg plentyn yn gallu troi breuddwyd yn ffaith.'

'Dw i ddim yn deall, Nain.'

'Gad i mi egluro. Mi ddeudis i ein bod ni wedi dod o hyd i ddarnau o'r awyren. Ond mi ddylwn i egluro mai darnau o awyren ein dychymyg oeddan nhw, nid darnau o awyren go iawn.'

'Dw i'n dal ddim yn dallt.'

'Wel, fel hyn oedd hi: mi fyddan ni'n dod ar draws darn o ryw hen weiren bigog i fyny ar y llethrau, ac yn penderfynu yn y fan a'r lle mai gwifren o'r awyren oedd hi. Roedd unrhyw hen ddarn o fetel sgrap, unrhyw ddarn o sbwriel y daethon ni ar ei draws, yn troi'n ddarn o'r awyren. Gêm o fath oedd hi, ond eto wnes i erioed gyfadde 'mod i'n gwybod mai gêm oedd hi am fy mod i'n cael cymaint o hwyl yn ei chwarae. Ro'n i'n mwynhau cogio 'mod i'n credu ym mreuddwyd Wiliam, ond roedd ein dychymyg yn troi pethau fel 'na'n real. Bron yn real, beth bynnag. A dyna fel roedden ni'n treulio'n holl amser rhydd am wythnosau pan fyddai'r tywydd yn braf – crwydro llethrau'r mynyddoedd a chwilio am ddarnau o'r awyren. A phan fyddai Nain, Taid, Mam neu Dad yn ein dal ni, byddai Wiliam yn meddwl am ryw ffordd o egluro'r cyfan.

'Ac un tro, yn lle darn o'r awyren, be welson ni ar y llethrau ond olion traed. Penderfynodd Wiliam mai olion traed y peilot oeddan nhw ac wrth gwrs, mi gytunes i efo fo. Dyma ni wedyn yn dechrau troi'r stori i gyfeiriad arall, gan benderfynu bod y peilot wedi llwyddo i neidio allan cyn i'r awyren ddod i lawr. Yn ôl Wiliam, roedd yn amlwg bod y peilot wedi glanio'n ddiogel yn ei barasiwt, a dyma fi'n cytuno efo fo unwaith eto. Peth felly ydi dychymyg, a phan fo dychymyg dau blentyn yn cydweithio, mae'n beth pwerus iawn. Ac felly, am rai dyddiau, ein gwaith oedd chwilio am olion traed peilot yr awyren Almaenig. Roeddan ni wedi penderfynu i fod o'n cuddio yn y mynyddoedd yn rhywle, ac roeddan ni'n benderfynol o ddod o hyd i'w guddfan o.'

'Ond Nain, mi fyddai hynny'n beryglus! Hynny ydi, tasa 'na beilot go iawn yn cuddio yn rhywle. Peilot o'r Almaen fydda fo, yndê? Ac roedd 'na ryfel yn erbyn yr Almaen ar y pryd, yn doedd? Beth allai dau blentyn 'neud yn erbyn Almaenwr mawr efo gwn?'

Gwgodd Nain a gofyn, 'Pwy sy'n deud bod ganddo fo wn?'

'Dw i wedi gweld lluniau mewn llyfrau hanes, ac roedd pob peilot yn ystod y rhyfel yn gwisgo gwn ar ei wregys, yn debyg i gowboi.'

'O, ie, wela i. Siŵr iawn.'

'Felly tasa 'na beilot Almaenig go iawn, mi fyddai yntau'n gwisgo gwn go iawn ar ei wregys hefyd. Beth allai dau blentyn 'neud yn erbyn dyn felly?'

'Ie, wel, nghariad i, rwyt ti wedi rhoi dy fys ar rywbeth pwysig iawn. Mi *oedd* o'n beth peryglus, ac felly roeddan ni'n gorfod bod yn ofalus iawn. Y gamp oedd ceisio dod o hyd i'w guddfan o heb iddo fo ein gweld ni gynta. Ac wedyn bydden ni'n sleifio i ffwrdd yn ddistaw bach er mwyn deud wrth yr heddlu neu'r fyddin neu rywun. Dyna be fuon ni'n 'neud am rai dyddiau: stelcian a sleifio o gwmpas y llethrau, yn cropian ar hyd y waliau a'r cloddiau i drio gwneud yn siŵr nad oedd neb yn ein gweld ni.

'Ac wedyn, un diwrnod, dyma ni'n dod ar draws yr olion traed yna eto. Roedden ni'n ysu am gael eu dilyn nhw, wrth gwrs, ac i ffwrdd â ni. Aeth yr olion traed yn uwch ac yn uwch i fyny'r llethrau, a ninnau'n eu dilyn yr holl ffordd, gan geisio cadw o'r golwg. Wedyn, diflannodd yr olion traed. Roedd y tir wedi troi'n garegog iawn a doedd 'na ddim digon o bridd i gadw ôl traed neb. Weli di, Rhian, roeddan ni wedi ymgolli gymaint yn yr holl ddirgelwch a'r hwyl fel nad oeddan ni wedi sylwi'n bod ni wedi mynd yn bellach i fyny'r mynydd nag erioed o'r blaen.'

'Be ddigwyddodd wedyn, Nain?'

Roedd yna olwg ar ei hwyneb oedd yn awgrymu i Rhian bod tro mawr yn y stori, a'i bod hi ar fin clywed rhywbeth anhygoel.

Oedodd Nain, a gwenu, yn amlwg yn mwynhau gweld ymateb Rhian. O'r diwedd, dechreuodd siarad. 'A dyna lle'r oeddan ni, bron â chyrraedd copa'r mynydd, ond roedd yn rhaid i ni ei throi hi am adra. A'r eiliad honno –

yr union eiliad pan oeddan ni'n dechrau troi er mwyn cerdded i lawr y mynydd – mi welais i rywbeth.'

'Be, Nain? Be welsoch chi?!'

'Mi welais i rywbeth ar ben carreg fawr, ychydig o'n blaenau ni. Ond mi sylweddolais bron ar unwaith nad rhywbeth oedd o, ond *rhywun*. Roedd rhywun yno, yn eistedd ar y garreg, yn sbio arnon ni. Roeddan ni wedi dod o hyd i'r peilot o'r diwedd, ond roedd o wedi'n gweld ni *cyn* i ni ei weld o.'

8

Eisteddodd Nain yn dawel am funud gan roi cyfle i Rhian geisio ffurfio'r cwestiwn roedd hi'n awyddus i'w ofyn. Ond roedd y geiriau'n mynnu baglu ar draws ei gilydd a hithau'n cael trafferth i'w hynganu.

'Ond . . . breuddwyd . . . oedd . . . hi.'

'Siŵr iawn, nghariad i.'

'Dychymyg . . . oedd . . . o.'

'Ie, hynny hefyd. Ond, wst ti, fel ddeudais i, pan fo dychymyg dau blentyn yn cydweithio mae o'n beth pwerus iawn.'

'Ond . . . dw i . . . ddim . . . yn . . . gweld . . . sut . . . .'

'Gad i mi orffen. Mi welais i rywbeth ar ben carreg fawr ryw ychydig o'n blaenau ni, yndo? A sylweddolais yn syth nad rhywbeth oedd o, ond *rhywun*. Roedd rhywun yno, yn eistedd ar y garreg, yn sbio arnon ni. Ac, ow, ro'n i wedi dychryn! Roedd yn amlwg ein bod ni'n rhy hwyr. Roeddan ni wedi cael hyd i'r peilot o'r diwedd, ond roedd o wedi'n gweld ni *cyn* i ni ei weld o.'

'Ond . . . Nain . . .'

'Gad i mi orffen, nghariad i. Roeddan ni'n chwilio am y peilot, yn doeddan? Ac er mai dychymyg oedd y cyfan, roedd ein dychymyg wedi'n darbwyllo ni –'

'Be ydi darbwyllo?'

'Perswadio. Roeddan ni'n dau wedi cael ein darbwyllo – ein perswadio – gan ein dychymyg ni'n hunain bod y stori'n wir. Roeddan ni wedi bod yn dilyn olion traed y peilot ac felly, pan arweiniodd yr olion hynny ni at rywun yn eistedd ar ben carreg, roedd yn amlwg i ni mai'r peilot oedd o. Ac am un ennyd fach, am eiliad, ro'n i'n sicr mai fo oedd yno, yn eistedd ar ben yr hen garreg fawr yna'n sbio arnon ni. Ac roedd yn amlwg fod fy nghefnder, Wiliam, yn meddwl yr un peth hefyd.'

'Pwy oedd o 'te, Nain?'

'Aaa, wel . . .' Agorodd Nain ei llygaid led y pen, fel pe bai wedi'i synnu, neu'n gweld y cyfan eto am y tro cyntaf. Wedyn, pwysodd yn nes at Rhian, gan godi un llaw a'i gosod ar ben-glin ei hwyres.

'Nid y fo oedd o, wrth gwrs,' sibrydodd.

'Wrth gwrs, Nain. Byddai hynny'n amhosibl, gan mai rhywbeth wedi'i ddychmygu oedd o.'

'Dyna chdi, nghariad i. Nid y *fo* oedd o, ond y *hi*.'

'Y hi, Nain?'

'Ie, Mrs Jones, Ty'n Mynydd. Hen wreigan, yn hŷn na fy nain a 'nhaid i ar y pryd. Roedd hi'n byw ar ei phen ei hun mewn bwthyn bach yr ochr draw i'r mynydd. Ro'n i wedi'i gweld hi unwaith neu ddwy o'r blaen. A deud y gwir, roedd 'na bob math o straeon amdani ymysg plant yr ardal. Roedd hi'n crwydro'r mynyddoedd ar ei phen ei hun, er ei bod hi mewn gwth o oedran.'

'Mae hynna'n golygu 'i bod hi'n hen iawn, yn tydi, Nain?'

'Ydi, 'mechan i. Roedd hi'n hen iawn, a byddai pobl yn ei gweld hi'n crwydro'r llethrau ar ei phen ei hun. Doedd neb yn gwybod beth yn union oedd hi'n 'neud. A chan ei bod hi'n byw ar ochr arall y mynydd, doedd neb ohonon ni blant wedi gweld ei chartref. Felly roedd rhyw ddirgelwch yn perthyn iddi, wst ti. Roedd rhai o'r plant yn deud ei bod hi'n wrach a'i bod hi'n byw mewn ogof rywle yn y mynyddoedd.'

'Ond doedd hi ddim yn byw mewn ogof, nac oedd Nain?'

'Nac oedd. Fel y deudis i, roedd hi'n byw mewn bwthyn bach. A deud y gwir, un digon tebyg i'r bwthyn bach yma, ond ei fod ar ochr y mynydd.'

'Ond sut dach chi'n gwybod hynny, Nain? Ro'n i'n meddwl nad oedd yr un ohonoch chi blant wedi gweld ei chartref?'

'Aaaa, wel, dyna i chdi rywbeth arall. Do'n i erioed wedi gweld ei chartref pan welais i a Wiliam hi'n eistedd ar ben yr hen garreg fawr y diwrnod hwnnw, ond mi ddaethon ni'n dipyn o ffrindia efo hi.'

'Do, Nain?'

'Do, wir. Roedd Mrs Jones, Ty'n Mynydd, wedi'i synnu wrth ein gweld ni hefyd: doedd hi ddim wedi arfer gweld plant yn crwydro mor uchel i fyny'r mynydd. A'r peth cyntaf wnaeth hi oedd deud y drefn wrthan ni am grwydro mor bell oddi cartref. Roedd hi'n mynnu cerdded adra efo ni'r holl ffordd i lawr y mynydd. Mi gymerodd y daith dipyn o amser rhwng popeth, ac felly mi gawson ni'n tri ddigon o gyfle i siarad. Ac erbyn i ni gyrraedd adra, roeddan ni wedi dod yn dipyn o ffrindia.'

'Doedd Mam a Dad ddim yn hapus iawn efo fi a Wiliam ar ôl clywed ein bod ni wedi crwydro mor bell i fyny'r mynydd ar ein pennau'n hunain. Fel arfer, byddai Wiliam wedi trio meddwl am ryw esgus, ond doedd hynny ddim yn bosib y tro hwn gan fod Mrs Jones yno efo ni. Ond roedd fy rhieni'n ddiolchgar iawn i Mrs Jones, Ty'n Mynydd, am ddod â ni adra'n ddiogel.'

'Be ddigwyddodd wedyn, Nain? Ai dyna ddiwedd y stori?'

'Nage, nghariad i. Mae 'na lawer o'r stori'n dal ar ôl.' Syllodd Nain ar y mynyddoedd am amser hir cyn dechrau siarad eto.

'Daethon ni'n dipyn o ffrindia, fel y deudis i, ac felly byddai Mrs Jones Ty'n Mynydd yn galw bob a hyn ar ôl ysgol ar ddiwrnod braf neu ar ddydd Sadwrn. A byddai'n mynd â ni'n dau am dro efo hi i'r mynyddoedd.'

'Be am eich rhieni? Be oeddan nhw'n ddeud?'

'O, mi oeddan nhw'n gadael i Wiliam a fi fynd efo hi gan ei bod hi wedi dod â ni adra'n ddiogel y tro cynta 'na, ti'n gweld. Roeddan nhw'n ymddiried ynddi hi, gan nad oedd neb yn deall y mynyddoedd gystal â hi. Roedd hi'n gyfarwydd â'r holl lwybrau ac yn nabod yr ardal yn well na neb. Ac yn fwy na dim, roedd hi'n ofalus iawn ohonon ni.

'O dipyn o beth mi aeth y stori ar led yn yr ardal 'mod i a Wiliam yn ffrindia efo Mrs Jones, Ty'n Mynydd. A deud y gwir, cafodd Wiliam dipyn o helynt ar fuarth yr ysgol unwaith pan ddeudodd rhyw hogyn arall mai gwrach oedd Mrs Jones, yn cipio plant a'u llusgo i'w hogof.'

'Be wnaeth Wiliam?'

'Deud bod yr hogyn yn deud celwyddau a bod Mrs Jones yn wraig annwyl oedd yn hoff iawn o blant. "Ia, hoff iawn o'u bwyta nhw," atebodd yr hogyn arall.'

'Be ddigwyddodd wedyn, Nain?'

'Wel, mi aeth yn gwffas rhyngddyn nhw, wrth gwrs. Ac mi enillodd Wiliam, mewn ffordd.'

'Be dach chi'n feddwl?'

'Mi roddodd o gweir i'r hogyn arall yna, ond cafodd ei gosbi'n drwm gan y prifathro. A doedd Mam a Dad ddim yn rhyw hapus iawn efo fo pan glywson nhw ei fod o wedi bod yn cwffio yn yr ysgol chwaith. Ond dyna fo. Wnaeth Wiliam erioed ddifaru sefyll i fyny ac amddiffyn enw da ein ffrind newydd ni.'

Chwarddodd Nain yn uchel, cyn dweud, 'O diar. Mae chwerthin fel 'na yn gwneud i 'nghefn i frifo eto!'

Cofiodd Rhian yn sydyn am anafiadau Nain. A hithau wedi ymgolli'n llwyr yn y stori, roedd hi wedi anghofio bod Nain wedi brifo'i chefn a'i choes. Sut gallai hi anghofio! Wedi'r cwbl, dyna pam roedd y ddwy'n eistedd mewn cadeiriau yn yr ardd yn siarad yn hytrach nag yn cerdded y mynyddoedd.

'Ydach chi'n iawn, Nain?'

'Yndw, nghariad i. Dydi o ddim yn brifo llawer. A hyd yn oed os ydi o'n brifo pan dw i'n chwerthin, dw i wastad wedi credu bod chwerthin yn dda i mi. Beth bynnag, ble oeddan ni?'

'Wiliam yn cwffio yn yr ysgol.'

'O ia. Wel, doedd dim rhaid i Wiliam gwffio fyth eto ar ôl y diwrnod hwnnw, diolch i'r drefn. Daeth pawb i dderbyn y ffaith ein bod ni'n dau'n ffrindia efo Mrs Jones, Ty'n Mynydd, a dyna ni. Aeth y misoedd heibio, a chyn bo hir roedd yn amser i Wiliam fynd yn ôl adra i Lerpwl.'

'Oedd y rhyfel wedi gorffen erbyn hynny?'

'Ddim yn hollol, ond roedd yr Almaen wedi colli'r rhan fwyaf o'u hawyrennau. Doeddan nhw ddim yn gallu bomio dinasoedd fel Lerpwl bellach. Felly, roedd yn saff i Wiliam fynd yn ôl i fyw efo'i rieni yn Lerpwl.'

'Oedd o'n hapus?'

'Oedd, wrth gwrs. Ond roedd o'n drist hefyd. Ac er 'mod i'n hapus drosto fo, ro'n inna'n drist hefyd. A finna'n unig blentyn, roedd Wiliam fel brawd i mi erbyn y diwedd, wst ti, a ninna wedi bod yn byw dan yr un to a threulio cymaint o amser efo'n gilydd. Ond dyna ni.'

'Ond o leia mi oedd gynnoch chi ffrind newydd.'

'Oedd, wir. A deud y gwir, er ei bod hi gymaint yn hŷn na fi, Lisabeth oedd un o'r ffrindiau gorau ges i erioed.'

'Lisabeth?'

'Mrs Jones, Ty'n Mynydd. Pan o'n i ychydig yn hŷn, mi ddeudodd hi mai Lisabeth oedd ei henw cynta hi a'i bod am i mi ddefnyddio'r enw hwnnw.'

'Ond dyna enw fy merlen i!'

'Ie, siŵr iawn, nghariad i. Ac wyt ti'n cofio pwy roddodd yr enw arni hi?'

'Y chi, Nain! Dw i'n cofio rŵan. Chi ddeudodd ei fod o'n enw da ar ferlen.'

'Dyna chdi. Ro'n i'n meddwl y byddai'r hen Lisabeth – hynny ydi, Mrs Jones, Ty'n Mynydd – yn hoffi cael ceffyl neu ferlen wedi'i enwi ar ei hôl hi. Ac felly mi awgrymais i'r enw.'

'Wela i!' Roedd Rhian wrth ei bodd wrth glywed bod Lisabeth y ferlen wedi'i henwi ar ôl ffrind Nain. Roedd hi wastad wedi teimlo'i bod hi'n ferlen arbennig iawn ac roedd y newyddion yma, rywsut, yn cadarnhau'r ffaith. Roedd ar fin dweud hynny wrth Nain, ond dechreuodd hi siarad eto cyn i Rhian gael cyfle.

'Er ei bod hi mewn gwth o oedran pan welais i a Wiliam hi am y tro cynta, roedd Lisabeth,

Ty'n Mynydd, yn ddynes hynod iach. Roedd hi'n wydn iawn am ei hoed, a bu fyw am flynyddoedd ar ôl i Wiliam fynd adra i Lerpwl. Roedd hi'n dal i alw amdana i bob hyn a hyn, a mynd â fi am dro i'r mynyddoedd efo hi. A phan o'n i ychydig yn hŷn, ro'n i'n cael mynd i'w gweld yn ei bwthyn bach. Mi ddysgodd lawer iawn imi am y mynyddoedd ac am y tywydd hefyd, yn enwedig am y cymylau. Hi oedd ceidwad y gyfrinach.'

'Pa gyfrinach, Nain?'

'Cyfrinach Ceffylau'r Cymylau. Ac un diwrnod mi benderfynodd rannu'r gyfrinach hefo fi.'

9

'Cyfrinach ydi hi, ac fel rheol does neb yn gwybod y gyfrinach . . . neb ond un.'

Siaradai Nain yn ddistaw unwaith eto. Roedd yr holl ardd yn ddistaw hefyd, bron fel pe bai'r adar a'r pryfed, a'r gwynt hyd yn oed, wedi distewi er mwyn ceisio clustfeinio ar gyfrinach Nain. Plygodd ymlaen yn ei chadair a symudodd Rhian yn nes ati er mwyn clywed y sibrwd tawel.

'Mae Ceffylau'r Cymylau'n dod i lawr i'r ddaear unwaith y flwyddyn mewn man arbennig yn y mynyddoedd. Maen nhw'n dod i lawr i gyffwrdd â daear y mynydd yn yr un lle yn union bob tro, ac mae'r lleoliad hwnnw'n rhan o'r gyfrinach.

'Ar ddiwrnod arbennig, mae'r cymylau'n ymffurfio'n dorch o gwmpas copa'r mynydd ac wedyn daw'r Bont Wen i lawr o'r cymylau i'r ddaear. Ar ôl i'r bont gydio yng nghraig y mynydd, daw'r ceffylau i lawr drosti.

Mae'n digwydd yn yr un lle yn union bob tro, ond nid ar yr un diwrnod yn union. Wyt ti'n deall?'

'Ddim yn hollol, Nain,' sibrydodd Rhian yn araf. Teimlai fod ei phen hi'n troi bob tro y siaradai Nain am Geffylau'r Cymylau. Roedd llais bach y tu mewn iddi'n dweud mai stori hud a lledrith yn unig oedd hi, a bod Nain yn tynnu'i choes. Ond roedd yna lais arall y tu mewn iddi'n dweud bod Nain o ddifri, ac roedd y llais hwnnw'n uwch.

'Gad i mi egluro, nghariad i. Mae'r diwrnod arbennig – y diwrnod pan ddaw Ceffylau'r Cymylau i lawr i'r ddaear – yn newid o flwyddyn i flwyddyn. Mae o wastad yn digwydd ar ddiwrnod braf pan mae 'na gwpwl o gymylau gwynion o gwmpas y mynyddoedd. Mae'n digwydd yn ystod misoedd yr haf fel rheol, ond gall fod yn hwyr yn y gwanwyn neu'n gynnar yn yr hydref hefyd.'

'Sut dach chi'n gwybod, felly, Nain? Sut dach chi'n gwybod pryd maen nhw'n dod?'

'Dyna ran fawr o'r gyfrinach, ti'n gweld.' Pwysodd Nain yn ôl yn ei chadair. Trodd ei phen i'r naill ochr ac i'r llall, yna siaradodd ychydig yn uwch.

'Does neb o gwmpas i'n clywed ni, felly gallwn ni siarad heb sibrwd rŵan. Ond mae'n talu i fod yn ofalus bob amser. Cofia di hynny.'

'Iawn, Nain. Mi gofia i.'

'A chofia dy addewid hefyd. Rwyt ti wedi addo cadw'r gyfrinach.'

'Wrth gwrs, Nain. Dw i'n addo. Fyddwn i byth yn deud wrth neb.'

'Wel, nghariad i, bydd yn rhaid iti ddeud wrth rywun rhyw ddiwrnod. Deud wrth rhyw blentyn arbennig rwyt ti wedi'i ddewis i rannu'r gyfrinach efo fo neu hi, fel dw i wedi dewis rhannu'r gyfrinach efo chdi. Mae'r gyfrinach wedi'i chadw'n ddiogel, a'i throsglwyddo o'r naill genhedlaeth i'r llall ers cyn cof.'

'Ers cyn cof?'

'Ie, ers cyn cof. Fel rheol dim ond un ceidwad sy 'na ar y tro, ac mae'r ceidwad yn gwarchod y gyfrinach yn ofalus iawn. Ond pan fo'r ceidwad yn mynd yn hen, mae'n rhaid iddo fo neu hi rannu'r gyfrinach efo plentyn mae'n gallu ymddiried ynddo fo neu hi. Y plentyn hwnnw fydd y ceidwad nesaf, ti'n gweld.'

'Pam dewis plentyn?'

'Er mwyn gwneud yn siŵr y bydd y ceidwad nesaf yn gwarchod y gyfrinach am amser hir iawn, iawn. Mae'n bwysig bod y gyfrinach yn byw efo'r ceidwad newydd ar ôl i'r hen un farw.'

'A dach chi wedi 'newis i, Nain?'

'Yndw, nghariad i. Dw i wedi dy ddewis di o'r eiliad y cest ti dy eni. Ond dw i wedi gorfod aros am yr adeg iawn cyn adrodd yr holl hanes wrthach chdi. Doedd gan Lisabeth Jones ddim plant, ti'n gweld, ac felly doedd ganddi hi ddim wyrion chwaith.'

'Ac felly mi ddewisodd hi chi, yndo, Nain?'

'Do, nghariad i. Roedd Lisabeth wedi 'newis i i gadw'r gyfrinach ar ei hôl hi. A dyna'n union be dw i wedi'i wneud ar hyd y blynyddoedd. Felly dw i am ddangos y lle i chdi, yr union fan lle mae'r ceffylau'n dod i lawr i'r ddaear bob blwyddyn.'

'Dyna'r lle arbennig yn y mynyddoedd roeddach chi'n mynd â fi i'w weld y diwrnod hwnnw cyn i chi syrthio a brifo'ch cefn a'ch coes, yntê Nain?'

'Ie, ie. Y diwrnod y cawson ni ein rhwystro gan Edwart Jôs a'i gi hela. Ac wedyn, dyna fi'n syrthio a brifo, wrth gwrs. Ac felly, gan na fydda i'n medru mynd â chdi am dro i'r mynyddoedd am sbel eto, mi benderfynais, o'r diwedd, y byddai'n rhaid imi rannu'r gyfrinach efo chdi fel hyn.'

'Ond be am y lle arbennig?'

'Wel, bydd yn rhaid imi feddwl am ffordd o ddangos y lle i chdi rywsut. Ond cofia mai rhan o'r gyfrinach yn unig ydi'r lle. Mae'r diwrnod arbennig yn rhan fawr o'r gyfrinach hefyd.'

'A sut dach chi'n gwybod pryd mae'r diwrnod arbennig yn dod, Nain?'

'Rhaid astudio'r cymylau. Neu, a bod yn fanwl gywir, rhaid astudio'r ffordd mae'r cymylau'n symud o gwmpas y mynyddoedd 'ma. Weithiau maen nhw'n cuddio'r mynyddoedd yn gyfan gwbl. Yn amlach na pheidio, maen nhw'n cuddio darnau o'r mynyddoedd. Ond mae'n bosib sylwi pa fath o gymylau sy'n cuddio pa ddarnau o ba fynyddoedd. Mae'n bosib sylwi hefyd *sut* mae'r cymylau'n chwarae o gwmpas y mynyddoedd a *sut* maen nhw'n symud.'

'Dw i ddim yn deall.'

'Weithiau mae cwmwl tew yn dod dros gopa rhyw fynydd yn ara deg, gan lynu'n agos at y copa, cyn tywallt i lawr yr ochr arall fel hufen yn tywallt dros ymyl powlen. Weithiau, bydd un cwmwl bach fel llong wen yn hwylio'n ofalus o gwmpas un o'r copaon. Ac weithiau, bydd y cymylau'n ymffurfio'n dorch o gwmpas copa rhyw fynydd arbennig . . .'

Oedodd Nain ac eisteddodd Rhian yn ddistaw gan ddisgwyl yn amyneddgar iddi orffen dweud y stori. Teimlai Rhian yn sicr fod rhywbeth yn poeni Nain. Roedd yn amlwg ei bod hi wrth ei bodd yn trafod y gwahanol fathau o gymylau, ond eto, teimlai Rhian fod cwmwl o fath wedi dod dros wyneb Nain hefyd. Roedd Rhian ar fin gofyn beth oedd yn bod pan siaradodd Nain eto.

'Mi gymerodd lawer iawn o amser i mi ddysgu darllen.'

'Dysgu darllen, Nain? Be sy a wnelo hynny â'r cymylau?'

'Dysgu darllen y *cymylau*, nghariad i. Mi gymerodd lawer iawn o amser i mi ddysgu darllen y cymylau. Bu'n rhaid i Lisabeth, Ty'n Mynydd, egluro'r holl arwyddion i mi.'

'Arwyddion?'

'Ie, arwyddion – yr holl arwyddion mae'n bosib eu gweld yn y cymylau yn ystod y cyfnod sy'n arwain at y diwrnod arbennig. Ar ôl iti ddysgu darllen y cymylau, mi fyddi di'n gallu gweld yr arwyddion sy'n egluro pryd yn union mae'r diwrnod arbennig yn dod. Er ei fod yn disgyn ar ddiwrnod gwahanol bob blwyddyn, os wyt ti'n dysgu darllen y cymylau mi fyddi di'n gwybod pa ddiwrnod ydi o. Ac wedyn, mi fyddi di'n medru cerdded i fyny i'r lle arbennig a gweld y ceffylau'n rhedeg i lawr y Bont Wen i'r ddaear.'

Edrychodd Nain ar y mynyddoedd, ac wedyn i lawr ar ei dwylo. Roedd y cwmwl du hwnnw wedi dod drosti eto ac roedd Rhian yn benderfynol o ofyn iddi'r tro hwn.

'Be sy'n bod, Nain?'

Ni ddywedodd Nain air, dim ond dal i sbio i lawr ar ei dwylo.

'Peidiwch â bod yn drist, Nain. Dw i'n gwybod eich bod chi wedi brifo, ond mi fyddwch chi'n well cyn bo hir. Mi ddylech chi fod yn hapus – dach chi wedi rhannu'r gyfrinach efo fi o'r diwedd. A wir i chi, dw i mor ddiolchgar i chi am fy newis i.'

Dim ond tawelwch.

'Be sy'n bod, Nain?'

Roedd deigryn yn ei llygad pan atebodd. 'Dyna'r broblem, 'mechan i. Dw i wedi bod yn astudio'r cymylau, a darllen yr arwyddion. Ond fedra i ddim cerdded i fyny i'r mynyddoedd ar hyn o bryd.'

'Ond mi fyddwch chi'n gwella'n fuan. Peidiwch â phoeni.'

'Dwyt ti ddim yn deall, nghariad i.' Edrychodd Nain i fyw llygaid Rhian. 'Dw i wedi bod yn darllen y cymylau ac mae'r arwyddion yn dangos yn glir mai *fory* ydi'r diwrnod.' Roedd y dagrau'n powlio i lawr ei hwyneb a'i llais yn crynu. 'Fory ydi'r diwrnod, a dw i ddim yn ddigon da i fynd â chdi i'r mynyddoedd.'

10

Yn ei gwely y noson honno, bu Rhian yn troi a throsi am amser hir a geiriau Nain yn atseinio yn ei chlustiau: 'Fory ydi'r diwrnod . . . fory . . . fory . . . fory.'

Cododd Rhian o'i gwely, gan gerdded draw at y ffenest a'i hagor. Roedd hi'n noson glir a'r lleuad yn llawn. Gallai weld cysgodion y mynyddoedd yn y pellter a golau'r lleuad yn chwarae ar do bwthyn Nain. A oedd hithau'n effro hefyd, tybed? Roedd y ffaith na allai gerdded i fyny i'r mynyddoedd fory yn ei phoeni'n fawr, ac felly mae'n debyg iawn ei bod hithau'n cael trafferth i gysgu hefyd.

Yn sydyn, clywodd Rhian sŵn carnau'n curo'r ddaear, a sŵn gweryru ysgafn cyfarwydd. Lisabeth oedd yno, yn trotian ar draws y cae, ei mwng lliw hufen yn disgleirio yng ngolau'r lleuad. Roedd hi'n dod i gyfeiriad y tŷ, yn amlwg wedi gweld Rhian yn y ffenest. Daeth at y ffens yn ymyl y tŷ a chodi'i phen i edrych ar

Rhian, ei llygaid yn fflachio yng ngolau'r lleuad. Sibrydodd Rhian ar Lisabeth drwy'r ffenest agored. 'Wyt tithau'n effro hefyd, yr hen hogan? Mi ddylet ti fod yn cysgu'n braf draw yng nghornel y cae.'

Gweryrodd y ferlen yn ysgafn eto, fel pe bai hithau'n ceisio sibrwd hefyd. Ac yna . . . fel roedd y lleuad yn goleuo'r olygfa y tu allan i'w ffenest . . . fel roedd golau'r lleuad yn fflachio yn llygaid y ferlen . . . daeth syniad i fflachio ym meddwl Rhian. 'Diolch, Lisabeth, diolch,' sibrydodd eto, cyn cau'r ffenest.

Llithrodd Rhian allan o'i stafell ar flaenau'i thraed, ac i lawr y grisiau. Roedd hi'n dal yn ei phyjamas, ond gwisgodd gôt ysgafn a thynnu'i welingtons am ei thraed. Yna allan â hi drwy'r drws gan ei gau'n dawel ar ei hôl . . .

'Shhh,' sibrydodd wrth y ferlen oedd yn aros amdani yn ymyl y ffens. 'Rhaid i ni fod yn dawel, yr hen hogan. Dan ni ddim eisiau deffro Mam a Dad.' Ni wnaeth Lisabeth unrhyw sŵn, ond ysgydwodd ei phen mewn cyffro.

'Shhh. Dyna ni, yr hen hogan, dyna ni. Mae gynnon ni ddiwrnod mawr o'n blaenau.' Estynnodd Rhian ei llaw a chosi'r ferlen rhwng ei chlustiau, yna dringodd yn ofalus dros y ffens. Cerddodd ar draws y cae a Lisabeth yn ei dilyn.

Oedd, roedd golau yn ffenest bwthyn Nain, a hithau'n gwbl effro. Cyn pen dim, roedd Rhian wedi rhannu'i syniad efo hi. Yna dringodd dros y gamfa a cherdded yn ôl ar draws y cae, gyda Lisabeth yn ei dilyn bob cam at y ffens o flaen y tŷ. Trodd y ferlen unwaith eto i dderbyn mwythau ganddi a sibrydodd Rhian yn ei chlust, 'Diolch, Lisabeth. Rhaid i ni gysgu rŵan: cofia fod fory'n ddiwrnod mawr.'

Dringodd dros y ffens a sleifio'n ôl i mewn i'r tŷ. Tynnodd ei chôt a'i welingtons yn ddistaw ac yna llithrodd fel llygoden i fyny'r grisiau ac i mewn i'w stafell . . .

*   *   *

Deffrodd Rhian yn gynnar ac aeth yn syth at y ffenest. Oedd, roedd hi'n fore heulog, braf.

Rhedodd i lawr y grisiau ac i mewn i'r gegin. Roedd hi wrthi'n gorffen ei brecwast pan ddaeth ei thad i mewn.

'Duwcs annwyl, rwyt ti wedi codi'n fuan! Dydi o ddim fatha chdi i godi cyn dy chwiorydd bach, yn enwedig ar fore Sadwrn.'

'Dw i'n gwybod, Dad, ond mae'n braf heddiw a finna eisiau cychwyn yn syth.'

'Cychwyn? Cychwyn i ble, felly?'

'Ga i fynd â Lisabeth am dro, Dad?' gofynnodd. Roedd yna lwybrau marchogaeth da o gwmpas eu tyddyn a byddai Rhian yn mynd â Lisabeth am dro'n aml ar y penwythnos, neu ar ôl yr ysgol, pan fyddai'r tywydd yn braf.

'Wrth gwrs, ond be am dy frecwast? Rhaid i ti fwyta rhywbeth.'

'Dw i wedi bwyta, Dad. Yli!' Cododd Rhian ei phowlen wag i'w dangos i'w thad. 'Rhaid imi fynd rŵan. Hwyl!' Rhoddodd y bowlen a'r llwy yn y sinc ac yna rhedodd allan o'r gegin, ond nid cyn bachu afal o'r bowlen ffrwythau.

*   *   *

Crensiodd Lisabeth yr afal wrth i Rhian dynhau'r cyfrwy am ei chefn.

'Dyna ni, yr hen hogan, dan ni'n barod!' meddai Rhian gan afael yn yr awenau. Cerddodd ar draws y cae gan arwain y ferlen at y giât, a'i hagor.

Rhoddodd Rhian ei throed chwith yn y warthol a dringo i'r cyfrwy. A hithau bellach

yn eistedd yn dalsyth ar gefn y ferlen, trodd i
edrych i gyfeiriad y tŷ. Tybed oedd 'na rywun
yn ei gwylio? Nac oedd. Rhaid bod gweddill y
teulu wrthi'n bwyta'u brecwast. Gwnaeth sŵn
clecian gyda'i thafod a chyffwrdd â Lisabeth yn
ysgafn â'i sodlau er mwyn ei hannog ymlaen.
'Ty'd, yr hen hogan. Ty'd ymlaen, rownd ar hyd
y clawdd i fwthyn Nain rŵan . . .'

Roedd Nain yn sefyll yn ymyl y giât, yn
pwyso ar ffon gerdded.

'Ddeudis i neithiwr y byddwn i'n dod â
Lisabeth at y drws, Nain!' ebychodd Rhian
wrth neidio i lawr o'r cyfrwy.

'A ddeudis inna neithiwr y baswn i'n medru
cerdded ychydig heddiw. A beth petai dy fam
neu dy dad yn sbio allan o un o'r ffenestri llofft
a gweld Lisabeth yn cerdded drwy ganol fy
ngardd i, a finna'n eistedd ar ei chefn hi?!'
Chwarddodd Nain.

Gydag un llaw yn dal awenau Lisabeth,
agorodd Rhian y giât â'i llaw arall. Cerddodd
Nain yn araf i'r lôn a chaeodd Rhian y giât ar
ei hôl.

'Beth bynnag, mi fedrwn i ddringo ar ei
chefn hi efo help yr hen esgynfaen.'

Gwyddai Rhian yn iawn am yr esgynfaen a

safai ar ochr y lôn yn ymyl giât Nain, sef pump o risiau cerrig bychain yn arwain at garreg fawr wastad yn debyg i lwyfan bach. Cofiai Nain yn egluro ystyr y gair iddi rai blynyddoedd yn ôl: mae *esgyn* yn golygu dringo i fyny, ac ystyr *maen* yw carreg, felly carreg ydi *esgynfaen* sy'n helpu rhywun i ddringo i fyny ar gefn ceffyl.

'Nain?'

'Ie, nghariad i?'

'Pryd oedd y tro diwetha i rywun ddefnyddio'r esgynfaen?'

'Wel, dyna i chdi gwestiwn da! Does gen i ddim syniad, a deud y gwir. Dw i'n cofio gweld rhai pobl yn ei ddefnyddio weithia pan o'n i'n hogan fach, ond dw i ddim wedi gweld neb yn ei ddefnyddio ers blynyddoedd lawer.'

Gan bwyso'n drwm ar ei ffon, rhoddodd Nain un droed yn ofalus ar y gris cyntaf.

'Ond mi wn i un peth . . .'

'Be, Nain?'

'Dan ni am ei ddefnyddio fo heddiw! Helpa fi, wnei di? Ara deg a phob yn dipyn . . .'

Dringodd Nain yn araf i dop yr esgynfaen gyda help Rhian.

'Rŵan ta. Dw i'n barod!'

Arweiniwyd Lisabeth at yr esgynfaen. Plygodd Nain yn araf gan riddfan ychydig.

'Dach chi'n iawn, Nain?'

'Yndw, nghariad i. Rhywfaint o boen cefn, dyna'r cyfan.'

Gyda thipyn o drafferth, llwyddodd Nain i eistedd yng nghyfrwy'r ferlen.

'Ew, mae o'n deimlad braf! Dw i ddim wedi bod ar gefn ceffyl ers blynyddoedd!' Rhoddodd Nain ei ffon gerdded i Rhian ac estynnodd hithau'r awenau i Nain. Gafaelodd Nain ynddyn nhw gydag un llaw gan roi mwythau i wddw'r ferlen gyda'r llaw arall.

'Diolch, Lisabeth. Dw i'n pwyso dipyn mwy na Rhian, felly dw i'n sylweddoli na fydd y daith hon ddim mor hawdd i chdi.'

Atebodd Rhian dros y ferlen. 'Does dim ots ganddi hi, wir Nain! Mae hi'n ferlen fach gref iawn.'

'Ydi, siŵr iawn.' Gwenodd Nain. 'Fyddi di'n iawn yn cerdded? Mi fyddai'n ormod i Lisabeth ein cario'n ni'n dwy yr holl ffordd.'

'Mi fydda inna'n iawn hefyd, Nain. Peidiwch â phoeni dim!'

Edrychodd Nain i gyfeiriad y mynyddoedd. Syllodd yn hir gan anadlu'n ddwfn wrth i ambell gwmwl pluog hwylio'n araf o gwmpas y copaon. Gafaelodd Nain yn yr awenau gyda'i dwy law ac edrych ar Rhian. 'O'r gorau! Mae'n hen bryd i ni gychwyn . . .'

*   *   *

Roedd hi'n gynnes ar y llethrau, a hynny er gwaetha'r awel ysgafn a chwythai bob hyn a hyn i chwarae gyda'r grug a dyfai'n drwch ar bob ochr i'r llwybr. Roedd y daith ar hyd y lôn wedi bod yn gymharol hawdd, gyda charnau'r ferlen yn curo clop-clop ar y tarmac, a Rhian a Nain yn sgwrsio'n braf yr holl amser. Ond roeddan nhw wedi hen adael y lôn erbyn hyn ac yn gweithio'u ffordd ar hyd yr hen lwybr defaid a ymdroellai'n igam-ogam drwy'r grug. Tywynnai'r haul, a dawnsiai'r blodau bach piws yn llawen yn y gwres.

Doedd y ddwy ddim yn medru sgwrsio mor hawdd erbyn hyn. Doedd y llwybr ddim yn ddigon llydan i Rhian gerdded wrth ochr y ferlen, felly cerddai o flaen Lisabeth a Nain. Gallai Rhian glywed sŵn y ferlen y tu ôl iddi, yn ffroeni a thuchan a'i charnau'n clecian ar y cerrig. Cerddai Rhian gan ddefnyddio ffon gerdded Nain, ac roedd honno'n clecian dros y cerrig hefyd. Cerddai'r tair ymlaen . . . i fyny . . . i fyny . . . ac i fyny.

'Wooow! Stopia am funud, Lisabeth. Dyna ni.' Wrth glywed llais Nain, trodd Rhian i weld y ferlen yn sefyll, yn wlyb gan chwys, a Nain yn syllu i fyny i'r awyr. Cododd ei llaw ac estyn un bys. 'Wyt ti'n gweld hwnna?'

Trodd Rhian i edrych. Doedd hi ddim wedi sylwi ar gopa'r mynydd ers tipyn; gan fod y llwybr mor serth, a hithau'n gwneud ei gorau glas i osgoi baglu, roedd wedi cadw'i llygaid ar y ddaear o dan ei thraed. Ond wrth edrych i fyny gwelai fod cymylau bach wedi dod at ei gilydd i ffurfio un stribed trwchus, a'r stribed pluog gwyn hwnnw'n disgyn ar gopa'r mynydd.

'Dyna fo, Rhian, dyna fo!' Roedd llais Nain yn llawn cyffro. 'Mae'r cymylau'n ymffurfio'n dorch o gwmpas copa'r mynydd.'

'Ai dyna'r Bont Wen, Nain?'

'Nage, nghariad i. Mi ddaw honno'n nes ymlaen. Mae 'na ddigon o amser. Ond mae'n rhaid i ni symud ymlaen. Ty'd.'

Ni ddywedodd yr un ohonyn nhw air am amser hir wedyn. O'r diwedd, daethon nhw at y pant bychan a'r llyn cyfrinachol yn ei ganol, ei ddŵr glas-wyrdd yn disgleirio yn yr haul. Stopiodd Rhian a Lisabeth yn eu hunfan. Gan fod y llwybr yn hollti'n ddwy ran, doedd Rhian ddim yn siŵr pa un i'w dilyn.

Clywodd lais Nain y tu ôl iddi. 'Mae'n well i Lisabeth gael cyfle i yfed dŵr o'r llyn.'

Arhosodd Nain ar gefn Lisabeth tra oedd y ferlen yn cael diod. Estynnodd Rhian botel ddŵr o'r bag lledr y tu ôl i'r cyfrwy a'i chynnig i Nain.

'Diolch, nghariad i. Mae'n boeth, yn tydi?' Yfodd Nain ychydig o'r dŵr, ac yna rhoi'r botel yn ôl i Rhian. Yfodd hithau rywfaint o'r dŵr cyn ei rhoi'n ôl yn y bag.

'Ymlaen â ni, felly!' meddai Nain yn galonog.

Ddywedodd neb air wrth iddyn nhw ddringo allan o'r pant a throi i ddilyn y llwybr arall hwnnw a blygai o gwmpas y llyn ac i fyny'r llethrau ar yr ochr arall. Roedd yn serth iawn, a'r daith yn araf. Cerddai Rhian wrth ochr y ferlen gyda'i llaw ar glun Nain, er mwyn gwneud yn siŵr na fyddai'n llithro o'r cyfrwy. Roedd Lisabeth a Rhian wedi colli'u gwynt yn llwyr. Daeth y llwybr defaid i ben ar ôl iddyn nhw ddringo allan o'r pant.

'Dyma ni, dyma ben y daith i Lisabeth.'

'Ydach chi'n siŵr, Nain?'

'Ydw, nghariad i. Mae'n siŵr mai hi ydi'r ferlen fynydd orau yn y byd, ac mae hi wedi bod yn wych yr holl ffordd hyd yn hyn, ond mae'n hen bryd iddi hi orffwys.'

Gwyddai Rhian fod Nain yn iawn. Doedd yna ddim llwybr bellach, a byddai'n anodd iawn i'r ferlen gerdded ar y tir caregog, serth.

'Ond be amdanoch chi, Nain? Ydach chi'n siŵr y byddwch chi'n iawn?'

'Ydw, yn berffaith siŵr. Mae hwn yn lle perffaith i adael Lisabeth. Yli – mae 'na esgynfaen yma, hyd yn oed!'

Edrychodd Rhian: roedd Nain yn iawn! Roedd yna garreg fawr yr un faint â'r esgynfaen gyda nifer o gerrig llai wrth ei hymyl a fyddai'n gwneud y tro yn lle grisiau.

Rhoddodd Rhian help i Nain ddringo o'r cyfrwy ar y garreg fawr ac yna cerdded yn ofalus i lawr y cerrig llai yn ei hymyl. Wedyn, clymodd awenau Lisabeth wrth un o'r ychydig lwyni grug a dyfai rhwng y cerrig llwydion. Gan bwyso ar ei ffon ag un llaw, cododd Nain ei llaw arall i roi mwythau i'r ferlen.

'Diolch, Lisabeth. Fel deudis i, chdi ydi'r ferlen fynydd orau yn y byd. Ty'd, Rhian. Dydi o ddim yn bell, ond does gynnon ni ddim llawer o amser ar ôl . . .'

Cerddai'r ddwy yn araf dros y creigiau, gyda ffon Nain yn clecian ar y cerrig a Rhian yn

gafael yn ofalus yn ei braich. Er bod y ddwy'n cerdded yng nghysgod y cwmwl bellach, ac yn weddol agos at gopa'r mynydd, doedd Rhian ddim yn teimlo'r oerni. Rhyfedd o beth! meddyliodd. Roedd hi'n sicr bod rhyw gynhesrwydd braf yn dod o'r cwmwl gwyn uwch eu pennau; roedd yn debyg i gynhesrwydd heulwen yn tywynnu o'r cwmwl!

Stopiodd Nain i ddal ei hanadl a bachodd Rhian ar y cyfle i sgwrsio eto.

'Ro'n i wedi meddwl y byddai'r cymylau'n damp ac yn oer . . . yn debyg i niwl.'

Ni ddywedodd Nain air, dim ond gwenu, ac amneidio â'i phen i ddweud 'ymlaen'.

Er bod Rhian wedi blino'n lân, teimlai fod cynhesrwydd y cwmwl yn rhoi rhyw nerth rhyfedd iddi. Roedd ei choesau'n gryf ac anadlai'n ddidrafferth. Doedd Nain ddim yn pwyso mor drwm ar ei braich bellach chwaith, ac felly gwyddai Rhian ei bod hi'n teimlo'n gryfach hefyd.

Yn sydyn, stopiodd Nain yn ei hunfan. Cododd Rhian ei phen a sylweddoli eu bod nhw wedi cyrraedd y lle arbennig y bu cymaint o sôn amdano. Yn lle'r creigiau a'r cerrig oedd o'u cwmpas cynt, roedden nhw bellach mewn cae. Mor wahanol oedd gwyrddni'r gwair a lenwai'r cae hwnnw o'i gymharu â'r llethrau llwyd o'i amgylch! Roedd y cae tua'r un maint â'r un o flaen ei chartref, a hwnnw'n llawn gwair hyfryd a blodau bach gwyn.

'Ydach chi eisiau eistedd, Nain,' gofynnodd Rhian.

'Nac ydw, nghariad i. Dw i wedi cyffroi gormod i eistedd. Beth bynnag, dw i'n teimlo'n rhyfeddol o gryf ar hyn o bryd.'

'Finna hefyd, Nain.' Roedd Rhian yn awyddus i holi Nain am y cryfder a deimlai'n llenwi'i chorff a'r cynhesrwydd rhyfedd a ddeuai o'r cwmwl, ond Nain siaradodd gyntaf.

'Sbia! Dyma hi'n dŵad!'

Edrychodd Rhian i fyny – roedd tonnau gwynion yn rholio o'r cwmwl i lawr i'r ddaear, fel tonnau'r môr yn rholio ac yn treiglo i'r traeth gan gyflymu wrth fynd. Cydiodd y naill don yn y llall gan ffurfio un llain wen yn ymestyn i lawr o'r cwmwl uwchben. Cydiodd y llain wen yng nghraig y mynydd yn ymyl y cae. Caledodd y llain a throi'n bont.

'Y Bont Wen, Nain!'

'Ie, nghariad i, dyma hi – y Bont Wen.'

Roedd pobman yn ddistaw. Er bod ei chalon yn curo'n galed gan gyffro, arhosodd Rhian yn ei hunfan, heb ddweud gair. Teimlai fel pe bai popeth wedi distewi, a'r byd cyfan yn disgwyl . . . yn aros.

Ac yna daeth y ceffylau i lawr i'r ddaear.

Cododd y gwynt. Carlamodd y ceffylau'n wyllt i lawr y Bont Wen, eu myngau a'u cynffonnau'n cyhwfan yn wyllt fel baneri yng ngafael gwynt y mynydd. Roedd pob ceffyl yn hollol wyn o'i garnau i'w glustiau, mor wyn â'r cwmwl pluog uwchben. Er eu bod yn hollol ddistaw ar y Bont, daeth sŵn o'u carnau ar ôl iddyn nhw gyffwrdd â'r ddaear. Carlamodd y ceffylau i lawr mewn llinell hir – dwsinau ohonyn nhw, y naill ar ôl y llall – a rhedeg yn gyflym o gwmpas y cae unwaith, gan aros mewn llinell.

Ac yna neidiodd y ceffyl cyntaf o'r cae i'r creigiau a rhedeg heibio i Rhian a Nain. Rhedodd y ceffylau eraill heibio fesul un, y naill ar ôl y llall. Roedd y sŵn fel mellt a tharanau, gyda'r creigiau'n atseinio a'r ddaear yn crynu o dan draed Rhian.

Neidiai'r ceffylau dros y creigiau, mor sicr eu cam â geifr mynydd. Ac ar ôl i'r holl geffylau wibio heibio, diflannon nhw o olwg Rhian. Gallai glywed eu carnau'n curo'r creigiau o hyd, ond âi'n ddistawach wrth i'r ceffylau garlamu'n bellach i ffwrdd.

Dechreuodd y twrw gynyddu eto ar ôl ychydig. Aeth y sŵn yn uwch ac yn uwch, a gallai Rhian deimlo'r ddaear yn crynu o dan ei thraed eto. Dychwelodd y ceffylau, yn carlamu ac yn neidio heibio iddi, yn llinell hir o fyngau a chynffonnau gwynion yn cyhwfan yn y gwynt. Ar ôl rhedeg o gwmpas y cae unwaith, y naill yn dilyn y llall, carlamodd y ceffylau i fyny'r Bont Wen fesul un. Aeth y twrw'n llai ac yn llai wrth i bob ceffyl adael y ddaear a chyffwrdd â'r Bont. Peidiodd sŵn y carnau'n gyfan gwbl pan neidiodd y ceffyl olaf o'r ddaear i'r Bont Wen. Carlamodd y ceffyl gwyn olaf yn wyllt i fyny'r Bont gan ddiflannu i grombil y cwmwl. Yna, toddodd y Bont Wen gan droi'n llain o gwmwl. Cododd y gwynt a diflannodd y llain wen.

Symudodd y cwmwl uwchben, fel y bydd cymylau.

*   *   *

Cyfres Swigod

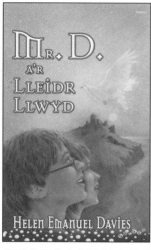

Nid yn Llanadar yr oedd Cris wedi bwriadu treulio'i wyliau haf. Ond, roedd angen rhywun i ofalu am siop hen bethau ei fam-gu a'i dad-cu – a dyna gychwyn ar antur. Ar ôl dod o hyd i ddarn papur yn sôn am Gastell Efa ar waelod bocs llyfrau, mae Tad-cu'n herio Cris: 'Dyna dasg i ti – beth am i ti ddatrys cyfrinach trysor Castell Efa.'
Gyda chriw ffilm yn yr ardal, a Mr D. a'r Lleidr Llwyd yn gwmni iddo, mae'n siŵr y bydd hwn yn haf i'w gofio i Cris.

ISBN 978 1 84851 163 7 £4.99

Digon anodd yw bywyd Twm Dafis. Mae'n dyheu am gael bod fel ei ffrindiau – yn gallu chwarae rygbi, mynd i'r parc a gwneud pethau cyffredin, bob dydd, fel pob bachgen arall. Ond, dyw e ddim fel pob bachgen arall. Mae Twm yn ofalwr ifanc, sy'n gofalu am Ifan, ei frawd bach anabl. Ac mae ei fywyd yn ymddangos yn ddiflas iawn, nes i gi bach strae ei ddilyn adref o'r ysgol un diwrnod . . .
   Stori sensitif a chynnes iawn sy'n siŵr o gyffwrdd yn y galon a chorddi teimladau o dristwch a hapusrwydd ar yr un pryd.

ISBN 978 1 84851 174 3 £4.99